Chère lectrice,

Sans doute avez-vous rema[...] (notamment la langue poétique et le roman d'amour) fait du mot « cœur ». Curieusement, cet organe a toujours inspiré des images liées au domaine des sentiments (contrairement à la tête — de linotte ou de bois, par exemple). Ainsi avons-nous le cœur gros, lourd ou léger, un cœur de pierre, un cœur d'or ou un cœur de lion, à moins que nous ne soyons sans cœur. Et lorsque nous voyons s'éloigner ou disparaître ceux que nous aimons, c'est dans notre cœur que nous les logeons — organe magique qui héberge tous les êtres chéris.

Cette tradition qui associe le cœur aux émotions s'enracine très loin dans le temps : la Bible, saint Augustin parlent du cœur comme du siège de l'amour pour Dieu, du rapport d'amour qui se noue entre l'homme et Dieu, et entre l'homme et ses semblables.

Mais c'est aux grandes heures de la poésie du Moyen Age que l'image du cœur connaît sa gloire. « Aimer de fin cuer », dans la littérature courtoise qui codifie les relations amoureuses entre l'amant et sa dame, c'est aimer de manière absolue, exigeante, c'est se dépasser pour l'amour de la dame. Se dépasser en tant qu'homme et en tant qu'artiste, poète. Le cœur est la source du poème excellent et sincère qui célèbre l'amour : « A quoi sert de chanter, écrit le célèbre Bernard de Ventadour, si ce chant ne sourd pas du cœur ? » Organe symbolique de l'échange amoureux, le cœur deviendra même le thème central d'une histoire dont l'immense succès s'étendra à toute l'Europe médiévale, puis trouvera des échos chez Dante et chez certains auteurs français du XIXe siècle : *La Légende du Cœur mangé* — un mari trompé, furieux, fait manger à sa femme le cœur de son amant. La malheureuse en mourra.

Bonne lecture, de tout cœur…

La responsable de collection

La chance d'aimer

JOAN KILBY

La chance d'aimer

éMOTIONS

*éditions*Harlequin

Cet ouvrage a été publié en langue anglaise
sous le titre :
CHILD OF HER DREAMS

Traduction française de
JULIE VANNEL

HARLEQUIN®

est une marque déposée du Groupe Harlequin
et Émotions® est une marque déposée d'Harlequin S.A.

Toute représentation ou reproduction, par quelque procédé que ce soit, constituerait
une contrefaçon sanctionnée par les articles 425 et suivants du Code pénal.
© 2002, Joan Kilby. © 2005, Traduction française : Harlequin S.A.
83-85, boulevard Vincent-Auriol, 75013 PARIS — Tél. : 01 42 16 63 63
Service Lectrices — Tél. : 01 45 82 47 47
ISBN 2-280-07922-4 — ISSN 1768-773X

Prologue

— Inspirez, *signorina*.

Geena rentra le ventre, et la couturière brandit son aiguille et son fil, s'apprêtant à faire un rempli sur sa dernière création de soie ivoire. Comme elle retenait sa respiration, elle se sentit au bord du malaise. Rien d'étonnant : elle n'avait rien mangé durant les deux jours qui avaient précédé le lancement de cette nouvelle collection du grand couturier milanais.

Les rythmes techno s'engouffrèrent dans le salon d'habillage, tandis que les mannequins quittaient le podium et venaient ôter leur tenue en toute hâte, pour enfiler de nouveaux modèles. Geena se sentait à bout de nerfs, sous les effets contraires des dopants, de la privation de nourriture et de sommeil. Elle tendit la main pour prendre une autre cigarette.

Lydia, son agent, s'approcha sans bruit et lui passa la main dans le dos en la pinçant légèrement, comme pour s'assurer de la fermeté de sa peau.

— Je te trouve… superbe, ma chérie.

Geena secoua la tête d'un air dégoûté.

— J'ai pris deux kilos. Il faut que je les perde avant le défilé de Paris.

7

— Tu m'as l'air d'être à cran, en ce moment, Geena, dit Lydia en lui prenant sa cigarette pour en tirer une bouffée. Je peux facilement te faire remplacer à Paris, si tu veux prendre quelques jours et faire une petite cure en Suisse.

Geena craignit de comprendre l'allusion à peine voilée : on voulait se débarrasser d'elle. A cette idée, son cœur se mit à battre la chamade.

— Je vais très bien. Je t'assure.

— Tâche d'y réfléchir, lui dit Lydia, avant de se diriger vers un autre mannequin.

Geena suivit d'un regard soucieux le visage de Lydia qui se reflétait dans le grand miroir. Elle se dit que, si son agent pouvait se passer d'elle à Paris et souhaitait sérieusement qu'elle fasse un séjour dans une station thermale, cela ne pouvait signifier qu'une seule chose : elle avait pris trop de poids. Peut-être même jugeait-on que sa carrière touchait à sa fin.

Elle jeta un coup d'œil à son image dans la glace, vit ses yeux bleus, hagards et cernés d'une ombre à paupières grise et violette. Qui sait ? Lydia envisageait peut-être de la remplacer par une adolescente au teint de pêche. Vingt-huit ans, c'était déjà trop vieux pour un top model.

Elle se rendit compte, tout à coup, qu'elle respirait plus faiblement, et que les battements de son cœur devenaient irréguliers. Ce n'était pas le moment d'avoir des palpitations, se dit-elle, saisie de panique. On l'attendait sur le podium dans quelques secondes.

Elle essaya de prendre une profonde inspiration, ressentant le besoin de remplir ses poumons, fouilla dans son sac à la recherche de son flacon de pilules, en avala deux avec une gorgée d'eau minérale. C'était de la folie, elle ne pouvait plus continuer ainsi... Elle devait renoncer à

Paris, et faire une pause après le défilé de Milan. Elle chaussa ses escarpins à talons aiguilles, et se dirigea vers l'entrée du podium.

Le maître de cérémonies la retint par le bras.

— Vous allez bien, *signorina ?* Votre visage, il est *bianco*... Blanc !

Geena, malgré le vertige qui la gagnait, trouva la force de lui renvoyer un sourire radieux.

— Je vais très bien.

Au prix d'un effort surhumain, elle fit un grand pas en avant, avec un mouvement de hanches exagéré, et surgit dans l'éclat des spots et les flashes des photographes. Assourdie par la musique, aveuglée par les lumières, elle avait conscience des battements désordonnés de son cœur. L'espace de quelques secondes, elle crut qu'il s'était arrêté et eut la certitude qu'elle allait mourir, mais soudain le sang envahit brutalement les ventricules, et son rythme cardiaque se précipita, comme si son pauvre cœur affolé voulait rattraper le temps perdu.

A cet instant précis, elle éprouva l'envie soudaine de faire demi-tour, mais le couturier lui avait offert beaucoup d'argent pour sa prestation. *Souris, Geena. Tu vas y arriver...*

Elle avança jusqu'au milieu du podium, et chancela. Une douleur fulgurante se propagea le long de ses deux bras, et elle eut l'impression qu'une main plongeait dans sa poitrine et enserrait son cœur. Elle se figea sur place, amorça un demi-tour comme pour rejoindre le salon d'habillage. Puis tout devint noir.

Geena s'éleva alors dans les airs, se demandant confusément où elle se trouvait et ce qui lui arrivait. Elle voyait, au-dessous, un mannequin qui gisait face contre terre sur le podium, ses longues jambes et ses bras étalés dans une position bizarre. Une foule de gens était accourue, et tout le monde criait et gesticulait autour d'elle. Quelqu'un retourna le corps du mannequin, et Geena éprouva un choc en découvrant son propre visage qui la regardait sans la voir.

Elle flottait tout en haut, au milieu des spots, et, curieusement, elle était insensible à la chaleur qu'ils dégageaient. Elle considérait d'un regard détaché tous ces gens affolés qui essayaient désespérément de la ranimer. Certains mannequins pleuraient. On appelait un docteur à grands cris et, au bout d'un moment, un petit homme en complet noir apparut, se frayant un passage dans la foule. Mais il arrivait trop tard.

Elle était morte.

Le brouhaha de toutes ces voix forma une sorte de mur sonore, et elle s'éloigna, en quête de silence et de paix. Un tunnel s'ouvrit devant elle, elle s'engouffra dans son obscurité profonde et fut agréablement surprise par l'atmosphère douce et chaude qui y régnait. A présent, elle se déplaçait, avançant de plus en plus vite dans l'obscurité, avec, tout autour d'elle, d'étranges bruits furtifs qui semblaient venir de nulle part. Puis elle aperçut un point blanc très brillant, qui s'agrandissait et devenait plus lumineux à mesure qu'elle s'en approchait, finissant par atteindre une intensité mille fois plus forte que celle du soleil.

Elle se sentait attirée irrésistiblement vers cette lumière dont l'éclat irradiait la bonté et l'amour — un amour ineffable, surnaturel. Elle éprouvait une félicité incomparable, bien au-delà de tout ce qu'elle avait pu imaginer. On aurait dit qu'elle brûlait et rayonnait d'amour et de paix, avec la puissance d'une ampoule d'un million de watts. Est-ce que tout cela n'était qu'un rêve ? Est-ce que les médecins lui avaient injecté une substance pour la ramener à la vie ? Sans doute allait-elle se réveiller d'un instant à l'autre...

La lumière disparut.

Elle se retrouva dans une petite pièce aux murs vert pâle. Des sofas en vinyle marron entouraient une table basse couverte de revues et de bandes dessinées. Accrochée au mur, elle aperçut une affiche représentant une dent géante, avec un dauphin de dessin animé en train de la brosser.

Lorsqu'elle regarda de nouveau, elle vit une femme assise sur l'un des sofas, plongée dans la lecture d'un vieux magazine féminin tout abîmé. Elle avait de longs cheveux blonds séparés par une raie au milieu, et son corps mince était vêtu d'un tailleur pantalon vert tilleul, style années 70.

La femme referma la revue et se leva, le regard brillant de joie. Puis elle tendit la main.

— Geena, mon bébé...

— Maman ?

Les yeux de Geena se remplirent de larmes quand sa mère la serra dans ses bras. Elle n'avait que trois ans lorsque sa mère, Sonia Hanson, était morte, mais tout au fond de son cœur, elle avait gardé le souvenir indélébile de son parfum, du timbre de sa voix tendre, de la douceur de ses bras.

— Maman, c'est vraiment toi ?

— Oui, c'est vraiment moi, répondit Sonia en effaçant avec son pouce une trace humide sous les yeux maquillés de Geena. Je n'en reviens pas de te voir devenue femme... Tu es si belle !

— Oh, maman, tu nous as tellement manqué... Toutes ces années...

Sa mère avait le visage inondé de larmes.

— Vous m'avez manqué vous aussi, toi et tes sœurs. Ne pleure pas, ma chérie. Ton père et moi sommes partis pour un monde meilleur. Crois-moi.

Geena s'écarta un peu et regarda autour d'elle d'un air incrédule.

— C'est le paradis, ici ? On se croirait dans la salle d'attente d'un dentiste.

Sonia eut un petit rire.

— Non, ce n'est pas le paradis.

— Mais alors… Oh non, je suis dans l'autre endroit ! C'est à cause des cachets ? Je jure que j'avais l'intention d'arrêter d'en prendre après le défilé de Paris !

Sa mère secoua la tête avec un petit sourire triste.

— Les cachets t'ont aidée à me rejoindre, mais nous ne sommes pas dans « l'autre endroit », comme tu dis. Il n'existe pas.

— Nous sommes dans les limbes, alors ?

Sonia sourit et la prit par la main.

— Viens, assieds-toi. Nous allons parler un peu.

Geena réalisa qu'elles avaient communiqué sans prononcer une seule parole. Elles demeurèrent assises sur le sofa, côte à côte et la main dans la main.

— Où est papa ? Quand pourrai-je le voir ?

— Je suis désolée, ma chérie, mais tu ne pourras pas le voir. Ton heure n'est pas venue.

— Que veux-tu dire par là ? Je ne vais pas rester ici avec toi ?

A présent qu'elle avait retrouvé sa mère, après tant d'années passées sans elle, l'idée de la perdre lui paraissait insupportable.

— Je suis désolée, répéta Sonia. Il te reste encore beaucoup de choses à accomplir dans ta vie.

— Comme mannequin ? dit Geena avec amertume. C'est ce qui m'a tuée.

Sonia passa les doigts dans la frange auburn de Geena, comme si elle ne pouvait s'empêcher de toucher son enfant.

— Un peu de glamour rend parfois la vie agréable si on n'en abuse pas, mais je ne pensais pas à ton métier de mannequin.

Avant qu'elle puisse s'expliquer, Geena s'empressa de lui poser une question qui l'avait tourmentée depuis toujours. Elle dut, toutefois, surmonter sa réticence à évoquer la mort de ses parents et les souvenirs douloureux de cette affreuse nuit.

— Maman, il y a une chose que j'ai toujours voulu savoir. Est-ce que papa était... ivre, le soir de l'accident ?

— Non, répondit Sonia d'un ton ferme. Un chien a brusquement traversé devant nous. Ton père a donné un coup de volant pour l'éviter, et a heurté un bloc de verglas. Nous avons dérapé et nous sommes écrasés contre un arbre.

— Je le savais. Je ne parle pas de l'histoire du chien. Mais Kelly, Erin, grand-mère et moi nous savions qu'elle ne disait pas la vérité.

Sonia leva les sourcils, ne comprenant pas très bien de qui elle parlait. Geena le lui expliqua.

— Greta Vogler a fait croire à tout le monde que papa avait fait une sortie de route parce qu'il était ivre.

Sonia émit un long soupir et serra la main de sa fille.

— Oublie Greta et ses méchancetés. Essaie de lui pardonner, si tu peux.

— Mais c'est impossible, elle...

— Fais-moi confiance, ma chérie.

Geena ne comprenait pas pourquoi sa mère était si tolérante, mais elle se dit que son temps était trop précieux pour le perdre à parler de Greta Vogler. Le paradis, c'était de se retrouver aux côtés de sa mère. Elle n'arrivait toujours pas à croire qu'elles étaient là, toutes les deux, en train de bavarder comme deux sœurs.

— Je crois bien que l'heure est venue de t'en aller, dit Sonia, comme si elle avait lu dans les pensées de Geena. Tu devrais retourner à Hainesville.

— Hainesville ? Que veux-tu que je fasse là-bas ?

Pourtant, l'idée de revenir au pays de son enfance lui apparut soudain comme une promesse de paix et de sécurité.

— Un petit séjour là-bas me ferait peut-être du bien.

— Tu dois aller y vivre, définitivement. Les gens, là-bas, ont besoin de toi.

— De moi ? demanda Geena avec un petit rire.

— Tu es faite pour aider les autres. Quand tu étais petite, tu nous ramenais tous les chats perdus que tu trouvais.

— Mais cela remonte à des années, maman. Et puis, je suis morte... Comment pourrais-je aider qui que ce soit ? Je veux rester ici avec toi. Je veux revoir papa et grand-père.

— Ton heure n'a pas encore sonné, Geena, dit sa mère en la serrant dans ses bras avant de se lever. Tu dois t'en aller.

— Non ! s'écria Geena, saisie de panique. Maman ! Où vas-tu ?

Sonia ouvrit une porte à l'autre bout de la pièce. A travers l'embrasure, Geena aperçut un grand jardin tout fleuri, avec, çà et là, des carrés de pelouse verdoyante. Au centre, une fontaine babillait.

— Maman, emmène-moi avec toi... Ne me laisse pas !

Geena sanglotait comme l'enfant de trois ans qu'elle avait été devant le cercueil qu'on mettait en terre.

— Maman !

Sa mère revint vers elle et la prit dans ses bras une dernière fois. Elles étaient à présent baignées par la lumière. Geena se sentait déborder d'un amour indicible, tandis qu'elle se serrait contre sa mère.

— Geena, ma chérie, sois courageuse. Nous nous retrouverons un jour, mais à présent tu dois t'en aller, lui dit-elle d'une voix douce mais ferme. Il y a un enfant qui aura besoin de toi. Tu vas être mère.

Pour la première fois depuis son arrivée en ce lieu, Geena éprouva une totale incrédulité.

— Mais je ne peux pas avoir de bébé ! Cela fait plus d'un an que je n'ai plus de règles.

— Au revoir, ma chérie, dit Sonia en se retirant lentement. Dis à grand-mère qu'elle manque beaucoup à grand-père. Mais cela ne le dérange pas d'attendre. Il a toute l'éternité.

Sur ces mots, elle passa la porte et disparut au milieu des arbustes en fleurs.

Geena se retrouva en train de parcourir le tunnel à une vitesse vertigineuse, jusqu'à ce que la lumière se réduise à un point brillant. Puis tout redevint noir.

1.

La scène se passait dans un petit village d'une région montagneuse à l'ouest du Guatemala. Le Dr Ben Matthews essayait de déchiffrer le flot de paroles d'une jeune femme maya, qui serrait contre elle son bébé malade. Tout, dans son attitude, exprimait l'inquiétude et l'affolement. Le docteur ne comprenait que quelques mots de sa langue, et cependant la cause de son désarroi ne faisait aucun doute pour lui.

— Je vais regarder ce qu'il a.

Il remonta les manches de sa chemise de coton blanc, prit l'enfant avec douceur et le posa sur la table d'examen. Le diagnostic était clair : les yeux enfoncés, la peau émaciée et la bouche sèche du bébé indiquaient une sévère déshydratation. Ben posa quelques questions à la mère, en mêlant les gestes, l'espagnol et les quelques mots de dialecte local qu'il connaissait. Elle confirma ses doutes : l'enfant avait eu des vomissements et des diarrhées.

— Il a la dysenterie, lui expliqua-t-il. Il faut lui donner des liquides.

La jeune femme acquiesça sans rien dire, puis observa Ben d'un regard anxieux, tandis qu'il préparait une solution à injecter par perfusion intraveineuse. Le pauvre enfant était bien trop mal en point pour pleurer quand Ben le piqua, ou pour rire quand il lui chatouilla le menton. Malgré ces deux années passées à soigner les populations ravagées par la maladie, la malnutrition et la pauvreté, Ben ne parvenait pas à s'accoutumer à la souffrance des enfants. Il éprouvait un sentiment de chagrin mêlé de révolte devant le taux de mortalité infantile. Ce petit garçon, au moins, aurait une chance de s'en tirer.

Ben donna ensuite plusieurs poches de solution à la jeune mère.

— Vous mélangez avec de l'eau bouillie, lui dit-il en mimant ce qu'elle devait en faire. Boisson pour bébé.

Elle acquiesça de nouveau, avant d'envelopper son bébé dans une écharpe aux couleurs vives qu'elle suspendit dans son dos. Elle adressa un sourire plein de gratitude à Ben et s'éloigna. Debout sur le pas de la porte, celui-ci suivit du regard le mouvement de ses pieds nus qui avançaient en pataugeant dans la boue, jusqu'à la route de terre qui la mènerait vers son village, à plusieurs kilomètres de là.

Il jeta un coup d'œil à sa montre, et retrouva son moral en réalisant que le bus de Guatemala City n'allait pas tarder à arriver. Il attendait son jeune frère, Eddie, qui venait d'achever son internat, et avait accepté, à la demande de Ben, de venir le remplacer au dispensaire fondé par Médicos International.

Ben se rendit à l'arrêt du bus, à travers les petites rues étroites, bordées de maisons en pisé à deux étages, saluant au passage les villageois d'un sourire ou d'un signe de main, s'arrêtant parfois pour demander des nouvelles d'un parent malade. Malgré son désir de rentrer aux Etats-Unis, il éprouvait une sorte de tristesse à l'idée de quitter la ville et ses habitants.

Les nuages gris qui s'amoncelaient au-dessus de sa tête lui firent oublier un instant la joie de revoir Eddie. On était en juillet, c'est-à-dire en plein milieu de la saison des pluies, et il était déjà tombé beaucoup plus d'eau que les années précédentes. Ben redoutait l'invasion de moustiques venus du fleuve et les maladies qu'ils transmettaient, comme la malaria et la dengue. Mais on pouvait craindre d'autres dangers : le fleuve, grossi par les fortes pluies, menaçait en effet d'inonder ses rives.

Le bus arriva dans un joyeux vacarme de musique qui se déversait par les vitres ouvertes et, après une dernière embardée, s'arrêta devant la *cantina*. Tandis que les passagers descendaient bruyamment, Ben tenta de repérer son frère au milieu d'une cohue formée d'Indiens maya, de latinos et de routards.

Eddie apparut enfin, ébloui par le soleil, un sac marin dans les bras, son sac à dos accroché aux épaules. Ses cheveux blonds étaient tout ébouriffés et ses vêtements froissés, comme s'il avait dormi sans les ôter, ce qui n'aurait rien eu d'étonnant.

— Eddie, par ici ! cria Ben en s'avançant vers lui.

Eddie l'aperçut et laissa tomber son sac marin par terre, pour serrer avec ardeur son frère dans ses bras.

— Content de te voir petit frère, dit Ben. Comment s'est passé ton voyage ?

— Très bien. J'ai trouvé ça passionnant.

Eddie ôta de ses cheveux une petite plume de duvet de poulet, la regarda, puis sourit à Ben.

— Je n'arrive pas à croire que je suis ici.

— Et pourtant, c'est vrai, frangin ! répondit-il en ébouriffant la chevelure de son frère. Tu devrais faire couper cette tignasse, si tu ne veux pas y trouver, un jour, autre chose que des plumes de poulet.

— Ah bon ? dit Eddie en lui donnant une bourrade dans les côtes. Et toi, tu t'es vu, avec ta barbiche ? Attends un peu la réaction de maman, quand tu arriveras à la maison !

Ben caressa sa moustache et son bouc soigneusement taillés, en souriant derrière sa main.

— Moi j'aime bien, ça me donne une certaine élégance, tu ne trouves pas ?

Il ramassa le sac de marin et prit le chemin de la clinique, se frayant un chemin au milieu des voitures déglinguées, des vélos, des charrettes tirées par des mules et des piétons.

— Comment vont papa et maman ? Est-ce que tu es allé les voir à Austin, avant ton départ ?

— Oui. Ils m'ont dit de t'embrasser. Ils attendent ton retour avec impatience, mais ils t'en veulent un peu de m'avoir attiré dans ces montagnes désertiques.

Ben contempla le décor autour de lui, l'architecture coloniale espagnole, les Mayas vêtus de leurs costumes traditionnels bigarrés, les pentes de la Sierra Madre couvertes de forêts de pins.

— Je n'oublierai jamais les années que j'ai passées ici. J'ai vécu une expérience extraordinaire, et je voulais te la faire partager.

— Je ne me plains pas, dit Eddie. Je considère que c'est une chance qu'on n'a qu'une fois dans sa vie.

— Docteur Ben ! Docteur Ben !

Un groupe d'enfants en haillons couraient à côté des deux hommes tandis qu'ils fendaient la foule.

— Hé, les enfants ! s'écria Ben en ralentissant et en désignant son frère.

— Docteur Eddie, leur dit-il, avant d'ajouter quelques mots en dialecte local.

— Docteur Eddie ! crièrent-ils en se rassemblant autour de lui, touchant sa main ou sa manche.

Après quoi, ils poussèrent des éclats de rire, et s'enfuirent vers le bout de la rue, talonnés par une meute de chiens efflanqués.

— Qu'est-ce que tu leur as dit ? demanda Eddie, un peu sur ses gardes.

— Que tu étais mon frère.

— De toute évidence, c'est une référence. J'espère que je ferai honneur à ta réputation.

Ben le considéra d'un regard plein d'affection. Il regrettait presque d'avoir poussé Eddie à venir ; son frère lui avait beaucoup manqué, et voilà qu'ils allaient se trouver séparés plus longtemps encore.

— Je me suis attaché à ces gens, surtout les gosses, mais je pars tranquille, car je les laisse en de bonnes mains.

— Merci.

Eddie porta son regard au-delà des toits, vers la montagne conique qui se dressait au loin et dominait la plaine.

— C'est un volcan ?

— Oui. C'est le volcan Santa Maria. Il est considéré comme actif. La région se trouve sur une zone sismique, et nous avons connu deux ou trois tremblements de terre sans gravité, depuis que je suis là. Je n'ai même pas éprouvé le besoin de vous en parler dans mes lettres.

Ben s'arrêta devant la clinique, un bâtiment de plain-pied, en pisé blanchi à la chaux, avec des poulets qui picoraient devant la porte. Une grande pancarte, à côté de l'entrée, portait une croix rouge, et on pouvait lire au-dessous : « Médicos International ».

— Nous voilà arrivés, dit Ben en poussant la porte. Le dispensaire est sur le devant, et mon logement se trouve derrière. C'est très simple, mais c'est chez moi.

Eddie fit le tour de la pièce, inspectant les étagères rudimentaires où s'étalait la réserve de médicaments, et le matériel un peu archaïque.

— Cela va me changer d'un grand hôpital urbain, c'est le moins qu'on puisse dire, avoua-t-il. Quels types de maladies est-ce que tu rencontres, par ici ?

Ben se percha sur le bord de son petit bureau, dans un coin de la pièce.

— Par où commencer ? Il y a la dysenterie, les maladies transmises par certains insectes, des poussées de choléra et d'hépatite. Mais la malnutrition demeure un gros problème, surtout chez les enfants. La majeure partie de mon travail consiste à fournir de la nourriture à des gosses affamés. Le taux de mortalité infantile est très élevé, et malgré tous les efforts on ne peut pas se battre sur tous les fronts en même temps : la maladie, la pauvreté, l'ignorance.

Au souvenir de tous les enfants qu'il n'avait pas pu sauver, sa voix se brisa.

— Je ne supporte pas de voir mourir des enfants...

Il quitta son bureau et traversa la pièce.

— Viens voir où tu vas vivre.

Ben écarta un rideau de tissu artisanal, aux dessins bleus et rouges, et emmena Eddie dans ses quartiers privés. Un côté de la pièce était équipé d'une plaque de cuisine, d'un réfrigérateur et d'un évier, tandis qu'à l'autre bout se trouvaient un divan, une petite bibliothèque bourrée de livres de poche, et surtout une platine avec des baffles qu'il avait dénichée à Guatemala City, et qui faisait sa fierté. Elle lui permettait d'écouter sa collection de disques. Il mit un album de Harry Connick Jr sur la platine.

— Je vois que nous n'avons jamais eu les mêmes goûts musicaux, gémit Eddie. Tu n'aurais pas plutôt quelque chose de Shaggy ou des New Radicals ?

Ben lui emprisonna le cou.

— Non, mais j'ai de la bière fraîche ! Tu en veux ? Alors rends-toi.

— Des clous !

Eddie enserra la cheville de Ben avec son pied pour tenter de le mettre à terre, mais il riait trop, et n'y parvint pas.

Ben relâcha son étreinte et se dirigea vers le réfrigérateur, un vieux modèle rescapé des années cinquante, puis passa la main derrière les médicaments pour dénicher deux bouteilles de bière locale. Il les décapsula et en tendit une à Eddie.

— C'est une chance pour nous, les docteurs, d'avoir à conserver les médicaments au froid. Le frigo, c'est l'un des avantages du métier.

— Et ça, c'est aussi un des bons côtés du frigo ? demanda Eddie avec un petit sourire narquois.

Il défit les sangles de son sac à dos, et sortit une bouteille de Jack Daniels achetée en duty free, et un journal.

— Tiens, voilà qui te rappellera le pays.

Assoiffé de nouvelles, Ben contourna la bouteille de bourbon et s'empara du journal, un numéro récent de *USA Today*. Il tomba sur la manchette en gros caractères qui barrait la une : « Un top model s'effondre sur le podium à Milan. » Un sous-titre complétait l'information : « Retour miraculeux du royaume des morts. »

Une photo, qui de toute évidence avait été prise avant le drame, la montrait vêtue d'une robe haute couture, parée de diamants étincelants, posant sur un fond de palais italien.

— Regarde-moi ça ! dit Ben d'un air dégoûté.

L'étalage du luxe, qu'il considérait comme une insulte à la misère de ses patients, provoquait toujours chez lui une réaction de colère et d'indignation.

— Avec le prix qu'a coûté cette robe, on pourrait acheter des vaccins pour toute la population de la région ! Regarde comme elle est maigre... Pas étonnant qu'elle ait eu un malaise. Je parie qu'elle avale des pilules amaigrissantes comme si c'étaient des bonbons, et qu'ensuite elle se laisse inviter par des hommes riches dans des restaurants huppés où elle ne mange rien. Pendant ce temps, les gosses d'ici meurent littéralement de faim.

Eddie jeta un coup d'œil au journal.

— Elle n'a pas l'air d'aller très bien, en ce moment.

C'était vrai. Sous la première photo, on montrait un cliché de la jeune femme sur son lit d'hôpital. Les vastes plis de sa chemise accentuaient la forme de son ossature et ses traits émaciés. « On dirait une morte qu'on a réchauffée », pensa Ben, en éprouvant une vague compassion. Sa beauté resplendissait malgré la gravité de son état. Une beauté diaphane, terriblement fragile. Quelque chose dans ce visage attirait son attention de manière impérieuse. Le regard lointain de ses yeux bleus donnait l'impression qu'elle avait franchi les portes de la connaissance. Elle semblait avoir « pénétré le mystère de la vie, de l'univers, de la mort », se dit-il en se remémorant ces lignes de son ouvrage préféré, à l'époque où il fréquentait la faculté de médecine.

Eddie alla s'étaler sur le divan, et changea de sujet.

— Est-ce que tu as autre chose à m'apprendre sur cet endroit ? demanda-t-il en sirotant sa bière.

Ben repoussa le journal, écartant de son esprit des pensées qu'il jugea frivole. Une femme de ce genre n'était sûrement pas capable d'aligner deux idées, et encore moins de trouver des réponses magiques au mystère de la vie.

— Voyons…, dit-il en se renversant sur sa chaise, sa bière à la main. Quezaltenango est la ville la plus proche, les anglophones d'ici l'appellent simplement « Quez ». Il y a pas mal d'expatriés un peu partout dans la région : un médecin français dans un autre village, des infirmières, des instituteurs, des travailleurs agricoles bénévoles, des missionnaires. Tu ne manqueras pas de compagnie.

— Hé, tu n'as pas besoin de me faire la pub de l'endroit ! Si tu trouves que c'est si bien, pourquoi est-ce que tu t'en vas ?

— Pour commencer, Médicos International ne prévoit que des engagements de deux ans. Ce que tu devrais savoir, vu que tu viens de signer un contrat. Ensuite…

Ben se remit debout et s'approcha de la fenêtre.

— J'avais une liaison avec cette infirmière anglaise, Penny. Elle n'était là que pour un an. Nous savions depuis le début que cela ne durerait pas.

— Alors, où est le problème ?

Ben haussa les épaules et fit face à Eddie.

— Je suis fatigué de changer toujours d'endroit, fatigué des liaisons passagères… J'ai trente-cinq ans, et j'ai envie de me poser quelque part.

— Tu vas retourner au Texas ?

— Non. J'ai trouvé un emploi temporaire grâce à un de mes anciens camarades de fac. Il travaille à l'hôpital de Seattle, et connaît un généraliste dans une petite ville, là-bas, qui cherche quelqu'un pour le remplacer pendant son année sabbatique. Hainesville. Tu connais ?

Eddie réfléchit un instant, puis secoua la tête.

— Ce n'est probablement qu'un petit point sur la carte.

— Pas comme la métropole trépidante où nous sommes ! dit Ben en riant. La première chose que je vais faire, en rentrant, c'est me payer un hamburger avec plein de bonnes choses dessus, et ensuite un grand milk-shake au chocolat. Je ne sais pas pourquoi, mais j'ai comme l'impression que je me plairai à Hainesville.

— Bon anniversaire, bon anniversaire !

Geena savourait la joie qui illuminait les visages autour de la table de la cuisine, chez Gran, sa grand-mère, tandis que ses sœurs et leurs familles respectives fêtaient avec elle son vingt-neuvième anniversaire. Ils étaient tous là : Kelly et Max, avec leurs quatre filles, Erin et Nick, avec le bébé d'Erin et la fille de Nick. Et, bien sûr, Gran, qui semblait plus petite que la dernière fois où Geena l'avait vue, mais en pleine forme malgré ses soixante-seize ans passés.

Un mois s'était écoulé depuis le malaise de Geena. Après une semaine à l'hôpital de Milan, suivie d'un séjour de quinze jours dans une maison de convalescence en Suisse, elle s'était rendue à New York pour emballer ses affaires et sous-louer son appartement. A présent, elle se trouvait enfin de retour parmi les siens, et nageait en plein bonheur.

Geena fit un vœu avant de souffler les bougies. Tout le monde applaudit. Kelly la serra contre elle dans un élan de tendresse.

— On est si contents que tu sois revenue parmi nous !

— Tu peux nous dire ce que tu as fait, comme vœu ? lui demanda Beth, la fille de Kelly.

— Si je le dis, il ne se réalisera pas, répondit Geena en souriant.

Elle entreprit de couper le gâteau et de distribuer les parts, tandis que Gran ouvrait les rideaux pour laisser entrer à flots le soleil de l'après-midi. Erin fit passer ses longs cheveux blonds derrière ses oreilles avant de se mettre à servir la glace d'une seule main, tout en tenant son bébé contre elle.

— Donne-moi Erik, dit Geena en prenant son neveu dans ses bras.

Elle le blottit dans le creux de son bras, en lui caressant tendrement la joue du bout des doigts.

Les magazines payaient des sommes folles pour avoir le sourire de Geena en couverture, mais, à ses yeux, le sourire édenté d'Erik n'avait pas de prix. Le regard innocent de ses yeux bleus éveillait son instinct maternel, et elle se demandait si le vœu qu'elle venait de faire et la prédiction de sa mère se réaliseraient un jour.

— Tu veux de la glace au chocolat ou à la vanille, avec ton gâteau, Geena ? lui demanda Erin.

— Je ne veux rien, merci.

Elle estimait s'être déjà goinfrée en mangeant de la salade et un morceau de blanc de poulet grillé.

— Quoi ? Tu ne veux même pas de gâteau ?

— Je vais reprendre mon travail de mannequin, dès que je serai complètement rétablie. Je dois surveiller mon poids.

— Mais, Geena..., intervint Tammy, qui avait trois ans. Tu es déjà plus maigre qu'un squelette d'Halloween !

Kelly fit les gros yeux à Tammy, qui se trouvait en face d'elle.

— Chut, ma chérie, ce n'est pas très poli.

— Laisse-la, Kelly. Elle a dit ça pour me faire plaisir, n'est-ce pas ? dit Geena en caressant les longs cheveux blonds de la petite fille.

Elle surprit le regard qu'échangèrent ses deux sœurs, et un silence embarrassant tomba sur l'assemblée. Mais qu'est-ce qu'ils avaient donc tous, à se tourmenter pour elle ?

Nick avala sa dernière bouchée de gâteau et se leva de table.

— Hé, Max ! Si on allait faire quelques paniers de basket ?

— D'accord, répondit le mari de Kelly en repoussant son assiette. Il y a un bon moment que je ne t'ai pas donné une déculottée.

— Emportez votre gâteau dehors, sur la table de pique-nique, les filles, dit Kelly en poussant sa nichée vers la porte de la cuisine.

Miranda, la belle-fille d'Erin, rechignait visiblement à quitter la pièce. Sans doute jugeait-elle que, à treize ans, elle ne faisait plus partie des petits, et elle préférait se retrouver avec les femmes de la famille. Elle avait de magnifiques cheveux auburn et un minuscule diamant dans le nez.

— Viens t'asseoir ici, lui dit Geena en tapotant la chaise à côté de la sienne.

Miranda, qui adorait les vêtements et vouait une admiration sans bornes à sa tante top model, lui adressa un sourire reconnaissant.

— Merci.

Erin installa Erik dans son siège de bébé et lui mit un hochet dans les mains. Gran alla chercher son tricot sur le buffet. Quant à Kelly, incapable de se poser un instant, elle entreprit de débarrasser la table.

— Repose-toi, Kelly, dit Geena. Je m'occuperai de ça tout à l'heure.

— Cela ne me dérange pas, répondit Kelly en mettant les assiettes dans le lave-vaisselle, tandis que l'évier se remplissait d'eau.

Geena, comprenant que sa sœur refuserait de s'asseoir, se leva pour aller l'aider.

— Est-ce que tu es allée voir le médecin, Geena ? demanda Erin.

— Non. Je prendrai rendez-vous avec le Dr Cameron demain.

— Le Dr Cameron est en Australie jusqu'à Noël, intervint Miranda d'un petit air malheureux.

— Le fils du Dr Cameron est un grand ami de Miranda, expliqua Erin à l'intention de Geena. Il lui manque beaucoup.

Kelly, qui était en train de récurer la marmite des pommes de terre, se tourna vers Miranda.

— Tu ferais mieux de ne pas t'emballer trop vite, sans quoi tu vas te retrouver avec des gosses à élever, et tu n'auras pas vu passer ta jeunesse.

— Nous sommes amis, c'est tout ! protesta Miranda. Et puis, toi et oncle Max vous étiez déjà amoureux quand vous étiez petits.

— C'est exact, répondit Kelly en tendant la marmite à Geena. J'ai entendu dire que le nouveau docteur est plutôt beau gosse. Indiana Jones, avec un stéthoscope.

— Le Dr Matthews est cent fois plus beau qu'Harrison Ford ! s'écria Miranda avec indignation.

— J'ai vu bien assez de médecins ces derniers temps, dit Geena. Cela dit, je leur suis reconnaissante de m'avoir sauvé la vie.

28

— Qu'est-ce qui s'est vraiment passé en Italie, Gee ? demanda Erin. Tu ne nous as pas dit grand-chose. Tu as eu une crise cardiaque, c'est ça ?

Geena essuya la marmite, tout étonnée de trouver du plaisir à accomplir des tâches ménagères.

— Mon cœur s'est arrêté de battre. Il paraît que j'ai été cliniquement morte pendant deux minutes.

Elle se gratta la tête en riant.

— Mon cerveau n'a subi aucun dommage, autant que je puisse en juger, du moins.

— Cela a dû être horrible, dit Kelly avec un petit frisson.

— Pas vraiment, répondit lentement Geena en regardant tour à tour Kelly, Erin et Gran.

Elle ne leur avait rien dit de son expérience de mort temporaire, car elle craignait leur réaction. D'ailleurs, elle-même ne savait pas vraiment quoi en penser. Elle n'avait pas encore bien saisi la signification des changements qui s'étaient opérés en elle depuis ce jour. Elle s'éveillait, chaque matin, animée d'une joie intense d'être en vie, et il lui arrivait de s'arrêter soudain au milieu d'une occupation et de regarder autour d'elle. C'était comme si elle découvrait un monde tout neuf, ou comme si elle était elle-même un être tout neuf.

Mais quelque chose dans le ton de sa voix les avait interpellées, et tous les regards s'étaient posés sur elle. Geena prit une profonde inspiration et décida de tout leur raconter.

— J'ai vécu une expérience de mort temporaire. Je suis passée de l'autre côté et en suis revenue.

— Tu as fait quoi ? s'écrièrent d'une même voix Erin et Kelly.

Leur cri réveilla Erik en sursaut. Miranda roula des yeux, Gran leva les sourcils au-dessus de la monture de ses lunettes, et le cliquetis de ses aiguilles s'arrêta net.

Erin prit son bébé dans les bras.

— Ne pleure pas, mon trésor, lui murmura-t-elle, avant de se tourner vers Geena. Tu veux dire que c'était comme si tu flottais dans un tunnel, en te dirigeant vers une lumière vive ?

— Oui ! C'était si incroyable que je n'arrive même pas à le décrire.

Partager enfin ce qu'elle avait vécu, en un flot de paroles libérateur, lui procura un intense soulagement.

— Sur le moment, je n'ai pas compris ce qui m'arrivait. Je ne l'ai réalisé qu'en voyant, d'en haut, mon corps qui gisait par terre. Il faisait noir et je me déplaçais le long d'un tunnel vers une lumière. Le passé, le présent, l'avenir, tout était rassemblé dans ce tunnel... J'entendais autour de moi un bruit qui ressemblait à une sorte de grésillement. Cela faisait penser au bruit que feraient des rayons de lune en touchant la mer, si vous voyez ce que je veux dire.

Leur regard démontrait clairement qu'elles ne voyaient pas du tout. Geena fit une grimace, agacée de ne pas arriver à trouver les mots pour décrire l'indescriptible.

— La lumière était plus brillante que le soleil, poursuivit-elle. Comme je m'en approchais, j'ai éprouvé des sentiments d'une intensité extraordinaire. C'était de l'amour, de la joie, du ravissement, une paix qui me submergeait et... un bonheur... un bonheur à l'état pur.

— Est-ce que tu prenais... quelque chose ? demanda Erin.

— Que veux-tu dire ?

— Prenais-tu des... médicaments ?

30

— J'avais pris des pilules pour maigrir, avoua Geena. Je prends parfois des somnifères, et aussi des stimulants de temps en temps.

— Des cachets qui t'apportent un bien-être ?

Geena croisa les bras sur la poitrine.

— Absolument pas. Cela ne m'est pas arrivé parce que j'étais droguée.

Gran tira sur son fil de laine, ce qui fit bouger la pelote par terre, et Chloé, son chat gris-bleu, bondit de derrière une chaise pour attaquer la boule de laine.

— J'ai lu un article sur une femme qui avait eu une expérience de ce genre pendant une opération cardiaque, dit Gran. Cela ressemblait à ce que tu viens de décrire.

— Merci Gran, dit Geena.

— Geena, ma chérie, nous t'aimons, et il n'y avait aucun sous-entendu dans nos paroles, reprit Erin.

Kelly approuva d'un hochement de tête.

Mais Geena sentait qu'elles demeuraient sceptiques.

— Quoi qu'il en soit, je ne prends plus aucun cachet. J'ai aussi arrêté de fumer. Les médecins de l'hôpital m'ont obligée à me désintoxiquer.

Elle se regarda en soupirant.

— J'ai repris du poids, depuis.

— Tu as bien fait d'arrêter la cigarette, dit Erin. Mais pour ce qui est de ton poids, Tammy avait raison, tu as maigri. Je me rappelle que tu n'étais pas aussi maigre, lors de mon mariage, il y a deux mois.

Geena refusait absolument de se laisser entraîner dans une discussion sur son poids. Elle adorait ses sœurs, mais celles-ci n'avaient aucune idée de la tension nerveuse que subissait un mannequin. De plus, il lui restait à raconter la partie la plus importante de son histoire.

— J'ai vu maman, dit-elle presque avec défi. Elle m'a dit de vous embrasser tous.

— Geena, tu dis que tu as vu maman, mais c'était en rêve, je ne me trompe pas ? demanda Erin.

Erik s'agita dans ses bras, et elle passa la main sous sa blouse pour défaire son soutien-gorge d'allaitement. Geena observa les gestes de sa sœur tandis qu'elle plaçait Erik contre son sein, et son cœur se serra. Elle avait envie de leur parler du bébé que sa mère lui avait prédit, mais elle craignait que Kelly et Erin ne la prennent pour une folle. Elle-même se demandait parfois si cette histoire de bébé n'était pas le fruit de son imagination.

— Ce n'était pas un rêve. C'était aussi réel que d'être ici en ce moment avec vous. Elle m'a dit que ce n'était pas mon heure, et que je devais retourner ici. En fait, elle ne parlait pas : on aurait dit qu'elle communiquait par télépathie.

— Par télépathie…, répéta Kelly, dubitative.

— Elle m'a dit aussi que papa n'était pas ivre, le soir de l'accident, poursuivit Geena. Il a donné un coup de volant pour éviter un chien.

— C'est la première fois qu'on entend parler d'un chien, dit Erin. C'est très plausible, mais impossible à prouver.

Geena plissa les yeux.

— Tu me demandes donc de prouver que cela s'est passé ainsi ?

— Bien sûr que non. Mais tu dois reconnaître que c'est un peu tiré par les cheveux. Le stress, la fatigue nerveuse peuvent parfois jouer des tours, c'est normal. Je crois que tu devrais en parler au médecin, et voir ce qu'il en pense.

— C'est une idée.

Un médecin avait certainement entendu des récits de mort temporaire. Il la croirait et la rassurerait sur son état mental.

— Combien de temps restes-tu parmi nous ? demanda Erin. J'espère que tu ne vas pas t'enfuir trop vite. Nous avons besoin de toi.

— Je serai là pendant quelques mois. J'ai prévenu mon agent de n'accepter aucun contrat pour moi avant que je ne sois complètement rétablie.

A vrai dire, elle ressentait un vague besoin de changer de vie, mais elle ne connaissait rien en dehors de l'univers de la mode.

Kelly vida l'évier, et s'essuya les mains en jetant un coup d'œil à la pendule de la cuisine.

— Zut, vous avez vu l'heure ? Je ferais mieux de rentrer avec mes gosses ! Geena, je t'attends pour dîner à la maison très bientôt. Je te promets que mes lasagnes vont te remplumer un peu...

Geena embrassa sa sœur, persuadée de ses bonnes intentions.

— Merci, Kelly.

Erin prit son bébé endormi contre elle, et embrassa Geena.

— Je vais y aller aussi. Erik est mieux dans son berceau pour dormir. Prends soin de toi, Geena. Nous nous sommes fait du souci pour toi, et nous tenons à ce que tu recouvres la santé.

— Ne t'inquiète pas, ça ira.

Geena les raccompagna à la porte. Elle attendit que Kelly et Erin aient rassemblé leur petite famille dans leur voiture, et qu'elles aient démarré. Après quoi, elle s'assit sur les marches de la grande maison victorienne

33

de Gran, la maison où elle avait grandi avec ses sœurs, après la mort de leurs parents.

Les parfums de l'été finissant flottaient dans la brise, et des senteurs de rose, d'herbe coupée, mêlées à l'odeur salée du fleuve, lui rappelaient que la marée était montée.

Elle entendit alors un bruit derrière elle. C'était Gran qui venait près d'elle, et s'asseyait sur la première marche en faisant un peu craquer ses genoux.

— Parle-moi de ta maman. Est-ce qu'elle t'a paru heureuse ?

Dieu merci, sa grand-mère la croyait !

— Elle est heureuse, et papa aussi. Maman t'envoie un message de grand-père : il dit qu'il t'attendra toujours.

Elle vit les yeux de Gran s'embuer derrière ses lunettes.

2.

Ben avait tout lieu d'être satisfait du centre médical de Hainesville. Avec ses deux salles d'examen, son petit laboratoire, son bureau d'accueil, sa salle d'attente, la structure lui paraissait luxueuse, comparée au dispensaire où il avait exercé au Guatemala.

Une seule ombre au tableau, cependant : une semaine à peine après son arrivée, l'infirmière préposée à la réception par le Dr Cameron avait dû s'absenter pour se rendre en Floride, au chevet de sa mère malade. Ben avait contacté une agence de placement, qui lui avait promis d'envoyer une intérimaire sous peu.

Il en fallait beaucoup plus pour lui saper le moral, après les épreuves qu'il avait surmontées au Guatemala. L'ennui, c'est que ses patients prenaient avec moins de philosophie que lui le manque d'organisation, les confusions administratives, les rendez-vous qui se chevauchaient. Ils ne possédaient certes pas le stoïcisme des villageois maya, qui trouvaient normal d'attendre leur tour pendant des heures.

— Vous ne pouvez pas diriger ce cabinet comme votre dispensaire d'Amérique centrale ! lui lança une femme au visage pincé, alors qu'il l'avait par inadvertance inscrite à la même heure que le maire.

En fait, le maire, M. Gribble, avait prétexté une réunion importante avec le directeur de la banque. Mais, bizarrement, lorsqu'il avait jeté un coup d'œil par la fenêtre, Ben l'avait aperçu qui se dirigeait vers la rivière, une canne à pêche bien en vue à l'arrière de sa Cadillac.

— Et pourquoi, madame Vogler ? répondit-il en entamant la lecture de son épais dossier médical.

— *Mademoiselle* Vogler, s'il vous plaît. Nous n'avons rien à voir avec une bande d'Indiens maya, voilà pourquoi.

« C'est bien dommage », ne put s'empêcher de penser Ben.

— Le Dr Cameron ne s'y prenait pas comme vous. Et qu'avez-vous fait de votre blouse blanche ? poursuivit-elle en jetant un regard accusateur sur sa chemise en coton tissé et son pantalon kaki. Si vous n'aviez pas votre stéthoscope autour du cou, personne ne croirait que vous êtes médecin.

— Sauf si on jette un coup d'œil aux diplômes affichés au mur, dit Ben aimablement, tout en continuant son examen du dossier. Je vois, ici, que vous avez subi une hystérectomie en 1976.

Il la considéra en calculant mentalement. Elle devait avoir dans les vingt-cinq ans, à l'époque de l'opération.

— Est-il possible qu'il y ait eu une erreur dans la date ?

— Il n'y a pas d'erreur, répondit-elle sur un ton glacial. Mais je suis venue vous consulter pour mes migraines, et je ne vois pas du tout le rapport.

— Excusez-moi, murmura-t-il, préférant ne pas insister. Parlez-moi de vos migraines.

Cela s'était passé la veille. Aujourd'hui, il avait pris les choses en main, et s'était employé à ranger les fiches des patients en fonction du moment où ils avaient pris rendez-vous. Chaque fois qu'il recevait un appel, il mettait la fiche du patient sous la pile. Ainsi, il pouvait lui donner une heure de passage approximative. Très simple, mais efficace.

La matinée était déjà bien avancée lorsque Ben s'approcha de la réception et se pencha pour prendre la fiche du dessus et appeler la personne suivante. Mais il posa les yeux sur sa montre en même temps qu'il tendait la main vers la fiche, si bien que toute la pile de dossiers dégringola par terre, sous les yeux consternés des patients.

Ben marmonna une malédiction maya, et s'accroupit pour ramasser les papiers épars. A ce moment, une jeune femme avec des cheveux auburn coupés au carré se leva de son siège pour venir l'aider.

— Il vous faudrait une assistante, dit-elle en empilant les chemises comme elles venaient.

— Je sais. J'ai fait une demande auprès d'un bureau de placement, mais ils n'ont encore trouvé personne de qualifié.

— Alors, vous devriez peut-être chercher quelqu'un de non qualifié.

Le ton rieur de sa voix lui fit lever le regard. Il plongea dans ses yeux bleus légèrement taillés en amande. Il la trouva trop mince à son goût, mais néanmoins très jolie.

Il avait comme une impression de déjà-vu.

— Nous nous connaissons ?

Elle soutint son regard avec une expression perplexe.

— Je m'en serais souvenu, si je vous avais rencontré.

— Je n'oublie jamais un visage, insista-t-il. Je suis certain de vous avoir vue quelque part.

Elle haussa les épaules, jeta un coup d'œil aux dossiers qu'elle tenait au creux de son bras et les arrangea. Ensuite, elle les posa dans ceux de Ben.

Ben se releva et lui tendit la main pour l'aider à faire de même. Il fut surpris de la voir si grande : elle devait bien mesurer un mètre soixante-dix-huit, et ses talons hauts la mettaient au même niveau que lui.

Il jeta un regard sur la salle d'attente, en lisant le nom inscrit sur la première fiche.

— Geena Hanson ?

— C'est moi, répondit la jeune femme en souriant.

Et elle se dirigea d'une démarche gracieuse vers la salle d'examen.

— Vous avez l'habitude d'obtenir ce que vous voulez, n'est-ce pas ? dit-il en refermant la porte.

Tout, en elle — ses vêtements, son parfum, son port de tête —, respirait le luxe et le raffinement. Sans savoir pourquoi, Ben pensa à Penny, son infirmière anglaise, qui soignait les malades en jean et en T-shirt.

Geena Hanson s'assit et croisa ses longues jambes.

Il ouvrit son dossier, et se mit à lire le contenu.

— Alors, dites-moi ce qui ne va pas.

— D'après moi, tout va bien.

Ben ne releva pas sa réponse, et parcourut les informations médicales récentes. Il fronça les sourcils en lisant ce qui s'était passé en Italie — la syncope et les deux minutes où son cœur avait cessé de battre. Il se rappela soudain la manchette du journal.

— C'est vous, le fameux top model... Que faites-vous à Hainesville ?

— C'est chez moi, ici. J'y suis née. Je suis venue pour me rétablir. Vous avez l'accent du Texas ? demanda-t-elle.

— Je viens d'une petite ville au sud d'Austin.

Ben poursuivit sa lecture, secouant la tête devant l'énumération des pilules qu'elle avait absorbées et l'insuffisance de son poids. Tout cela confirmait sa première impression : elle souffrait de maigreur excessive, et refusait d'admettre le problème.

— Si tout va bien, que faites-vous ici ?

Elle examina ses ongles impeccables.

— Mes sœurs et ma grand-mère ont insisté pour que je vienne vous voir.

— Est-ce que vous continuez à prendre ces cachets ?

— Non. J'ai aussi arrêté de fumer.

— Vous dormez bien ?

— Mis à part quelques insomnies, ça peut aller.

— Aucun incident notable à la suite de votre malaise ? demanda-t-il en prenant quelques notes avec son stylo à encre.

Elle attendit un peu avant de répondre. C'est pourquoi il leva les yeux et aperçut une étrange lumière dans son regard. Elle se pencha en avant, serrant contre sa poitrine son sac Gucci.

— Que voulez-vous dire exactement ?

Il comprit d'instinct qu'il se passait quelque chose de sérieux, mais quoi donc ?

— Des palpitations, des vertiges, des douleurs dans la poitrine..., demanda-t-il.

— Oh, dit-elle, visiblement déçue. J'ai parfois la tête qui tourne, le matin au réveil.

Devant son silence, Ben attendit quelques secondes avant de poursuivre :

— Cela se produit avant ou après le petit déjeuner ?

— Je ne prends jamais de petit déjeuner.

« Elle a tous les avantages que peuvent apporter l'argent et la célébrité, mais pas une once de bon sens », se dit Ben. Il lui adressa un regard sévère et froid.

— Eh bien, vous devriez. Vous êtes nettement au-dessous de votre poids normal.

Il se leva et contourna son bureau.

— Allez, montez sur la table d'examen.

Il vérifia sa tension artérielle, son pouls, ses réflexes. Il examina l'intérieur de ses oreilles, regarda ses yeux, et la palpa sous le menton. A mesure qu'il l'auscultait, il se rendait compte qu'il voyait la femme en elle, et non la patiente, comme cela aurait dû être le cas. Ses sens ne pouvaient faire abstraction de son parfum exquis et de la texture soyeuse de sa peau, pas plus que du battement de son pouls sous ses doigts.

Il sentit la transpiration perler sous ses bras lorsqu'il glissa son stéthoscope sous l'échancrure de sa robe de soie. Ces simples gestes médicaux prenaient un caractère légèrement érotique. Elle s'immobilisa complètement, comme si elle prenait également conscience de l'homme qui se cachait sous le praticien.

— Votre... euh... rythme cardiaque est un peu rapide.

— Le syndrome de la blouse blanche, peut-être ? suggéra-t-elle en levant les sourcils malicieusement.

— Je vais vous prescrire un bilan sanguin.

Là-dessus, il battit en retraite vers son bureau, afin de remplir le formulaire.

— Je crois savoir que c'est l'hôpital de Simcoe qui s'occupe des analyses. Et pendant que vous y serez, vous devriez prendre rendez-vous avec la nutritionniste.

— D'accord.

Sa promptitude à accepter lui parut un peu suspecte, et il comprit qu'elle n'avait aucune intention de suivre les conseils d'une nutritionniste, en admettant même qu'elle prenne rendez-vous.

— Je ne plaisante pas, madame Hanson. La profession que vous exercez n'est pas propice à une vie saine, comme le démontre le malaise que vous avez eu. D'après ce que j'ai entendu, les mannequins sortent beaucoup.

— Et ils travaillent aussi beaucoup, protesta-t-elle.

Il s'efforça de dissimuler son scepticisme, et poursuivit :

— Quoi qu'il en soit, vous devez prendre soin de votre santé.

— Docteur…, commença-t-elle avec hésitation. Vous est-il arrivé que l'un de vos patients meure et revienne à la vie ? Je veux parler de quelqu'un qui aurait fait l'expérience de la mort ?

— Non, jamais.

Il glissa posément le formulaire de prescription dans une enveloppe.

— Mais je sais que ces phénomènes ne sont que des hallucinations provoquées par le manque d'oxygénation du cerveau au moment où le cœur cesse de lui envoyer du sang.

— Vous en êtes absolument certain ? demanda-t-elle, troublée.

— En tout cas, c'est l'explication qu'en donne la médecine. Pourquoi me posez-vous cette question ? Vous avez eu une expérience de ce type ?

— Oui. Et il ne s'agissait pas d'une hallucination, dit-elle. Pendant mon séjour à l'hôpital de Milan, je suis tombée sur un journal anglais, et j'ai lu un article sur des médecins hollandais qui avaient observé les fonctions vitales de patients en état de mort temporaire. L'un d'entre eux avait même donné une description du docteur qui lui ôtait son dentier avant de lui faire une trachéotomie. Et pendant tout ce temps, son pouls ne battait plus, et son cerveau ne manifestait aucune activité. Que pensez-vous de cela ?

— Ce n'est pas très convaincant. J'ai lu l'article original dans la revue médicale *Lancet*. Il existe de nombreuses études qui démontrent que ces phénomènes sont produits par le cerveau confronté au traumatisme de la mort. A mon avis, l'étude hollandaise ne prouve pas qu'il existe une vie après la mort.

— Mais j'ai rencontré ma...

Elle s'interrompit brusquement, au grand soulagement de Ben, et écarta le sujet d'un geste de la main.

— Peu importe.

Elle remarqua, sur le bureau de Ben, la photo encadrée qui le montrait au côté d'Eddie sur les marches d'un temple maya.

— Je parie que c'est votre frère. Il est médecin, lui aussi, n'est-ce pas ?

— Oui, en effet. Comment le savez-vous ?

Geena sourit, et le mannequin sophistiqué se transforma soudain en une gamine malicieuse.

— Nous sommes dans une petite ville. Vous verrez que d'ici la fin de la semaine je connaîtrai jusqu'à votre marque de dentifrice.

Il fut séduit par son sourire, encore plus que par sa beauté, mais prit soin de n'en laisser rien paraître.

— N'oubliez pas de consulter la nutritionniste. Et puis, j'aimerais vous revoir dans deux ou trois mois, pour un nouveau bilan sanguin.

Elle s'attardait devant la porte, laissant son regard errer sur lui.

— Qu'est-ce qui vous a attiré à Hainesville, docteur ?

Il se trouvait tout près d'elle, trop près, le regard perdu dans le bleu limpide de ses yeux, les sens troublés par son parfum. Son sourire était une invitation au flirt et, malgré ses efforts, il ne réussit pas à conserver une attitude strictement professionnelle.

— Quand vous le découvrirez, dit-il d'une voix traînante, faites-le-moi savoir.

Elle émit un gloussement spontané, qui contrastait avec l'élégance de sa tenue.

— Je n'y manquerai pas, lança-t-elle, avant de se sauver.

— La personne suivante ? appela Ben.

La salle d'attente s'était remplie pendant qu'il recevait Geena, et les patients n'en savaient pas plus que lui sur celui ou celle qui devait passer. La pile de fiches toutes mélangées ne pouvait être d'aucun secours. Une mère accompagnée d'un bébé en pleurs, un homme âgé, un adolescent avec un bras dans le plâtre, et une femme d'un certain âge, tous le regardaient avec insistance. Ils se mirent à parler en même temps, chacun exigeant de passer en premier.

Geena s'arrêta, la main sur la poignée de la porte, et étudia la situation. Elle s'aperçut que Ben Matthews, malgré ses grandes compétences médicales, n'arrivait plus à maîtriser les événements. Son premier mouvement fut de voler à son secours, mais elle se raisonna, car elle ne connaissait rien au métier de réceptionniste d'un cabinet médical. La Geena d'hier aurait passé son chemin, mais la nouvelle Geena éprouvait le désir d'apporter son aide. De plus, la femme qui sommeillait en elle envisagea avec plaisir de partager un instant la compagnie de cet homme au regard intelligent, sans parler du parfum d'aventure qui collait encore à sa chemise en coton tissé.

Elle se dirigea d'un pas ferme vers la réception, s'empara de la pile de dossiers, puis examina la salle d'attente. Bien qu'elle n'eût aucune expérience de ce genre de travail, elle supposa que ce ne devait pas être bien difficile, d'autant plus qu'elle connaissait la plupart des personnes présentes. Il lui suffirait d'avoir un zeste de bon sens et une grande dose de compassion...

La petite fille qui pleurait et gigotait sur les genoux de sa mère, en se tenant l'oreille, souffrait visiblement.

— Laura, appela Geena, qui venait de reconnaître une amie de lycée d'Erin. C'est à vous.

— Merci. Elle a une infection de l'oreille, dit celle-ci avec soulagement.

Laura passa devant Ben, et emmena sa fille dans la salle de consultation.

A ce moment, Geena sentit le contact d'une main qui se posait sur son bras. Ben l'attira à part.

— Qu'est-ce qui vous prend ?

Sans se laisser démonter par l'irritation qui perçait dans sa voix, elle répondit :

— Je pense que vos patients ont besoin d'un coup de main. Et je peux faire preuve d'une grande efficacité, vous savez.

— En effet, dit-il en plissant légèrement les lèvres.

Il jeta un coup d'œil sur la salle d'attente, et nota que ses patients s'étaient replongés dans leurs magazines avec résignation. Il se tourna vers Geena avec un haussement d'épaules.

— D'accord, laissa-t-il tomber.

Quant à Geena, elle s'installa derrière le bureau de la réception et se mit à classer les dossiers suivant l'ordre qui lui semblait être le plus judicieux. Lorsque Laura et sa petite fille eurent terminé, elle aida M. Marshall à se mettre debout, et lui tendit sa canne. Ben s'arrêta un instant devant le bureau pour prendre la fiche de M. Marshall.

— Dois-je comprendre que vous restez ici un moment ?

— Je ne sais pas, répondit-elle, feignant de réfléchir à la question. J'ai beaucoup à faire, aujourd'hui.

« Retoucher mon vernis à ongles, lire le dernier numéro de *Vogue*, bâiller d'ennui une vingtaine de fois. Une semaine à peine que je suis arrivée, et je deviens folle », aurait-elle pu ajouter.

— Mais puisque vous insistez si gentiment, c'est d'accord.

Elle se pencha, et reprit en baissant la voix :

— M. Marshall souffre de la goutte au gros orteil, et cela depuis quatre ans, mais il fait une fixation sur ses pieds. Soyez très gentil avec lui.

Il réprima un sourire.

— Je suis *toujours* très gentil.

Geena n'en doutait pas. Elle le trouvait si différent des autres hommes qu'elle fréquentait — les play-boys européens, les boursiers new-yorkais, et autres personnages qui ne s'intéressaient à rien d'autre qu'à leur petit ego. Malgré la désapprobation que Ben affichait à son égard, elle devinait en lui un être généreux, attentif aux autres… et tellement séduisant ! Elle l'avait observé quand il lisait son dossier, et son corps, à la fois élancé et robuste, lui avait beaucoup plu. Elle avait aimé son sourire narquois, ses mains aux doigts fuselés, le mouvement de ses cheveux bruns, la teinte rosée qu'avaient prise ses joues pendant qu'il auscultait son cœur. Mais surtout, elle avait littéralement fondu devant les intonations texanes de sa voix.

Ben suivit M. Marshall dans la salle d'examen, et Geena se mit en devoir de trier les innombrables prospectus qui s'étaient accumulés sur le bureau. Elle trouva une satisfaction inattendue à mettre de l'ordre et à faire du rangement.

La porte d'entrée s'ouvrit, et elle se retourna pour voir qui était le nouvel arrivant. C'était une femme.

— Geena Hanson, c'est bien toi ? s'écria celle-ci.

Geena poussa un cri.

— Linda Thirsk ! C'est incroyable... Cela fait des années qu'on ne s'est pas vues !

Elle contourna le bureau pour se précipiter vers son ancienne amie de classe et l'embrasser.

Elles s'écartèrent alors en riant pour mieux se regarder.

— Tu es si mince ! dit Linda. Je te déteste...

Il faut dire que Linda avait pris des formes, avec le temps. Mais d'une certaine manière, ses kilos superflus lui allaient plutôt bien, et la coupe de sa robe jaune bouton d'or l'avantageait.

— Tu es superbe, déclara Geena. Alors, est-ce que tu es devenue une romancière célèbre à Greenwich Village ?

— Figure-toi que je n'ai pas dépassé Spokane, où ma voiture est tombée en panne, répondit-elle en riant. Toby O'Connor l'a appris par ma mère, et est arrivé avec sa dépanneuse. Nous ne nous sommes plus quittés depuis, et nous avons quatre gosses, dont l'aîné n'a pas encore huit ans.

— Veinarde ! Et ta carrière d'écrivain ?

Linda eut un étrange sourire, teinté de malice.

— J'écris le bulletin paroissial, et d'autres petits trucs. Mais j'y pense... Nous organisons notre dixième réunion d'anciennes élèves en octobre. Il faut que tu viennes !

Le sourire de Geena s'évanouit, elle se sentit rosir de confusion.

— Je... Je ne sais pas si je pourrai. Tu as oublié ? J'ai quitté le lycée en première, pour devenir mannequin.

Comment irais-je à la réunion, alors que je n'ai jamais passé mon bac ?

— Personne n'y trouvera à redire. Il faut que tu viennes.

Facile à dire pour Linda, qui avait toujours été la première de la classe. Malgré l'amitié qui les liait, Geena s'était toujours sentie intimidée par l'esprit brillant de Linda.

— Je te le ferai savoir.

Geena s'approcha de la réception.

— Tu avais rendez-vous ?

— Oui, à 2 heures. Tu travailles ici ?

— Seulement pour la journée. La réceptionniste est absente, et le Dr Matthews n'a pas trouvé de remplaçante pour le moment.

Geena s'assura que personne n'écoutait, avant d'ajouter à voix basse :

— Je m'amuse comme une petite folle à jouer à la réceptionniste, tu ne peux pas savoir ! Mais tout est désorganisé, et tu vas sans doute être obligée d'attendre un peu.

— Ce n'est pas grave, répondit Linda, en prenant son ordinateur portable. Je vais m'asseoir et m'avancer dans mon travail.

— On se voit tout à l'heure.

La porte du cabinet s'ouvrit. Geena vit sortir un homme frisant la cinquantaine, avec des cheveux d'un noir qui visiblement n'avait rien de naturel, et un veston bleu pâle posé sur le bras. Elle reconnut Ray Ronstadt, le patron de l'agence immobilière où travaillait Kelly. D'après sa sœur, il venait de divorcer et était en quête d'aventures.

— C'est à vous, madame Chan, dit Geena en s'adressant à une dame âgée.

Avant qu'elle ait pu tendre le dossier de Mme Chan à Ben, Ray marcha en se pavanant vers le bureau.

— Salut, Geena, dit-il en reboutonnant ses manches de chemise. J'ai appris par Kelly que vous étiez de retour parmi nous. Si jamais vous en avez marre de ce trou, je vous invite à vous éclater avec moi.

Ben, qui attendait le dossier avant d'introduire Mme Chan, fronça les sourcils.

— Je crains que ce ne soit bien trop fatigant pour moi, répondit Geena en souriant mollement. Le docteur m'a recommandé de me reposer, à la suite de ma syncope.

Ray parut légèrement surpris.

— Ah oui... Désolé de l'apprendre. En tout cas, moi, je vous trouve en pleine forme.

— C'est gentil. Avez-vous besoin d'un nouveau rendez-vous ?

— Non. J'appellerai pour mes résultats d'analyse dans quelques jours, répondit-il en passant les mains dans ses cheveux, soucieux de la tenue de sa coiffure. Un célibataire qui mène la belle vie doit surveiller sa santé. C'est le moins que je puisse faire pour mes charmantes amies.

— Très délicat de votre part.

« Grossier personnage », se dit Geena, au moment où elle entendit Linda étouffer un fou rire. Elle évita soigneusement de rencontrer son regard.

— Alors, si on dînait ensemble ? poursuivit Ray sans se décourager. Le grill de Simcoe fait deux menus pour le prix d'un, le mardi.

— Euh... Merci, Ray, mais je suis très prise, mardi.

Elle se leva et se dirigea vers la sortie. Ray la suivit docilement.

— Je suppose qu'une fille comme vous reçoit des tas d'invitations.

— Des centaines, des milliers. Plus que je n'en pourrais accepter.

Là-dessus, elle ouvrit la porte, et l'invita à sortir.

— Au revoir.

Geena tendit le dossier à Ben, tandis que Mme Chan gagnait la salle de consultation.

— Un beau parleur, murmura Ben. Nous devrions ouvrir un cahier de rendez-vous pour toutes vos invitations. Ou prendre une autre secrétaire.

Elle lui jeta un regard de côté.

— Je n'ai pas besoin d'un cahier pour me souvenir des invitations que j'accepte.

Elle fut déçue de voir qu'il ne saisissait pas la perche tendue. Il se contenta de conduire Mme Chan dans son cabinet. Geena haussa les épaules et regagna son bureau.

En fin d'après-midi, bien après le départ de Linda, la porte s'ouvrit, et Geena vit entrer une femme tenant un bébé dans ses bras et un jeune garçon par la main. Elle avait noué ses longs cheveux bruns en une queue-de-cheval un peu hirsute, et portait un chemisier en mousseline style années soixante, sur une longue jupe flottante.

— Je suis Carrie Wakefield, dit-elle. J'ai un rendez-vous pour mon fils, Tod. Désolée d'être en retard, ajouta-t-elle en poussant le petit garçon devant elle.

— Ce n'est pas grave. Bonjour, Tod.

Tod la considéra gravement de ses grands yeux bruns. Son visage lui parut trop maigre et trop pâle, pour un enfant en vacances.

— Quand un mouton est malade, qu'est-ce qu'on lui donne ? demanda-t-il.

Geena fronça les sourcils, se demandant si le petit garçon n'était pas en train de confondre cabinet médical et clinique vétérinaire.

— Eh bien, je n'en sais rien, Tod. Il souffre de quoi, ton mouton ?

Tod lui adressa un sourire espiègle, et répondit :

— On lui donne des rebèèèdes ! Vous avez compris ?

— C'est mignon, dit Geena en riant. Quel âge as-tu, Tod ?

— Neuf ans et demi. Pourquoi les hippopotames ne jouent pas au basket ?

— Euh... parce qu'ils ne sont pas assez grands ?

— Non. Parce que le short ne leur va pas bien. Elle n'est pas très bonne, celle-là, ajouta Tod avec un haussement d'épaules. Les hippopotames ne portent pas de shorts.

— Viens t'asseoir et cesse d'embêter la dame, dit Carrie Wakefield qui paraissait exténuée et à bout de patience, avec son bébé qui ne cessait de pleurer dans ses bras.

— Je l'embête pas, dit Tod. Pas vrai ? ajouta-t-il en s'adressant à Geena.

— Non, pas du tout. Viens avec moi, Tod, dit-elle en se levant.

Elle le conduisit vers une petite table dans un coin de la salle d'attente, chargée de livres pour enfants et de jouets.

— Tu veux jouer avec les camions ?

— Je veux que tu me lises une histoire, dit-il en enfonçant les mains dans ses poches.

— Tod ! protesta sa mère.

Puis elle s'adressa à Geena :

— Il entre au CE2, et sait parfaitement lire tout seul.

— Ne vous inquiétez pas, dit Geena.

Geena examina le petit garçon. Tout, dans son visage et dans son attitude, reflétait un mélange de provocation et de frustration, comme s'il souffrait d'être privé d'attention et qu'il avait fini par s'y résigner. Elle se demanda ce qui n'allait pas chez lui, à part le fait d'avoir un petit frère qui accaparait beaucoup sa mère.

— Je serais ravie de te lire quelque chose, Tod. Que dirais-tu de celui-ci ? dit-elle en lui montrant une bande dessinée de Calvin et Hobbes.

Le visage de Tod s'éclaira.

— J'aimerais bien avoir un bébé tigre comme animal de compagnie.

— Moi aussi.

Elle l'invita à s'asseoir sur le petit banc, et il se laissa aller contre elle tout naturellement. Le contact de ce petit corps lui procura une sensation agréable : c'est ce qu'on devait ressentir quand on avait un enfant, se dit-elle en ouvrant le livre. Dix minutes plus tard, ils s'esclaffaient tous deux devant les facéties et les bévues de Calvin quand, tout à coup, elle sentit qu'on l'observait. Elle leva les yeux. Ben, debout devant la porte, la considérait d'un air pensif.

— Tu dois voir le docteur, à présent, dit-elle en refermant le livre.

— Mais on n'a pas fini, protesta Tod.

— Allez viens, Tod, dit Carrie en se levant, son bébé endormi dans les bras.

Quand la petite famille fut entrée dans le cabinet, Geena se mit à ranger les jouets et les livres. Tod était le dernier patient de Ben, et, malgré la fatigue qu'elle pouvait ressentir, elle devait reconnaître que depuis son arrivée c'était la première fois qu'elle passait une journée aussi gratifiante. Elle avait pris plaisir à jouer avec les enfants, et à discuter avec les personnes âgées. A présent, elle se posait des questions sur ce qu'elle ferait le lendemain.

Tout en arrosant les plantes en pot, elle se disait que Ben, satisfait de son excellent travail, déciderait peut-être de l'engager. Elle trouvait toutes ces activités si différentes de ce qu'elle faisait habituellement, et si peu stressantes, qu'elle aurait l'impression d'être en vacances. Et en prime, elle ferait mieux connaissance avec Ben Matthews.

Et si lui-même apprenait à la connaître, il se rendrait compte qu'elle n'était pas aussi irresponsable et égocentrique qu'il le croyait. Elle admettait qu'elle l'avait été, mais il lui semblait, à présent, que son existence lui offrait une chance de repartir sur de nouvelles bases. Il ne lui restait plus qu'à essayer de découvrir qui elle était et ce qu'elle voulait faire de sa vie.

Elle regardait par la fenêtre de la salle d'attente vide, oubliant qu'elle tenait encore l'arrosoir à la main, lorsque Tod et sa mère sortirent du cabinet. Carrie Wakefield avait les traits tirés et pâles, Tod était muet.

— Au revoir, Tod, dit Geena en reposant l'arrosoir.

Elle les raccompagna jusqu'à la porte, et attendit qu'ils soient sortis. Après quoi, elle les observa depuis la fenêtre, les vit monter dans une vieille Honda et démarrer.

Ben s'approcha d'elle.

— Tod est atteint de leucémie aiguë.

— Oh, non ! Ce petit garçon si gentil… C'est très grave ? Est-ce que c'est incurable ?

— C'est assez grave, mais on peut le traiter. Il entre à l'hôpital demain pour subir une chimiothérapie.

Ben parlait avec un certain détachement, mais Geena voyait, à l'expression de son regard, qu'il était profondément attristé.

— On l'a diagnostiqué à temps. Grâce au traitement, il va s'en sortir.

Elle désirait ardemment le croire.

— Vous m'avez été d'un grand secours, aujourd'hui, reprit-il. Vous avez été extraordinaire. Merci.

Geena, devant ces compliments, éprouva une joie qu'elle jugea ridicule. Elle se demanda si son petit fantasme allait se réaliser.

— Cela m'a beaucoup plu. En fait, je pourrais revenir demain, si vous le souhaitez…

— Ah, dit Ben en faisant une grimace. J'apprécie votre proposition, mais je cherche une infirmière diplômée qui puisse aussi assurer la réception. Il me faut quelqu'un qui soit capable de faire des prises de sang, des pansements, ce genre de choses.

— Bien sûr, je comprends.

Elle sentit le sang affluer à son visage. Qu'est-ce qu'elle s'était imaginé ? Il était tout à fait normal qu'il veuille engager quelqu'un de qualifié, et non elle, Geena, qui n'avait que sa beauté pour tout talent.

— Je vous paierai votre journée, bien entendu, dit-il.

Comme si c'était une question d'argent ! Elle lui adressa un sourire lumineux.

— Il n'en est pas question. Comme je vous l'ai dit, je me suis bien amusée.

Elle passa devant lui, alla remettre l'arrosoir dans la petite cuisine, et récupéra son sac dans le tiroir du bureau.

— N'oubliez pas de faire faire votre prise de sang et de prendre rendez-vous avec la nutritionniste.

— Je n'oublierai pas.

Elle s'arrêta une seconde devant la porte, le temps de lui faire un signe de la main et un autre sourire.

— Ciao !

Elle marcha la tête haute jusqu'au coin de la rue, mais ensuite, oubliant tous les cours de maintien qu'elle avait suivis, elle ne put rien faire pour empêcher ses épaules de s'affaisser.

A quoi cela lui servait-il d'avoir économisé suffisamment d'argent pour vivre sans travailler jusqu'à la fin de ses jours ? A quoi cela lui servait-il que des centaines d'hommes, à un moment ou à un autre de sa vie, se soient disputé la faveur de sa présence ? Ben Matthews, lui, ne se laissait impressionner ni par la beauté, ni par l'argent, ni par la célébrité.

Et, il fallait se rendre à l'évidence : si on lui ôtait ces trois éléments, que lui restait-il ? Rien.

Pourtant, au tréfonds de son cœur, elle savait qu'elle avait une vraie personnalité. Mais personne, en dehors de sa famille, ne cherchait à voir au-delà du vernis des apparences. Personne, et surtout pas des hommes instruits et intelligents comme Ben.

3.

— Prenez un autre beignet au chocolat, dit Edna en poussant l'assiette sous le nez de Ben.

Edna Thompson était la propriétaire de la chambre d'hôte où logeait Ben, le temps que la maison qu'il avait louée soit disponible. Tous les jours, lorsqu'il revenait de son travail, elle l'attendait avec du café et des beignets, et prenait plaisir à l'entretenir de ses problèmes de santé.

— Est-ce que je vous ai parlé de cette douleur à ma hanche gauche ? demanda-t-elle en donnant une tape à cet endroit. Qu'est-ce que vous en pensez ?

— Cela vient probablement de vos vertèbres lombaires, répondit Ben, entre deux bouchées de beignet. Venez à mon cabinet demain, et je vous examinerai.

— J'essaierai de venir. C'est vraiment dommage que vous déménagiez la semaine prochaine. C'est agréable d'avoir un docteur dans la maison ; c'est comme si j'avais mon médecin personnel à domicile.

Edna se leva et se dirigea vers le réfrigérateur. Ben en profita pour ouvrir le *Hainesville Herald* qu'elle avait laissé traîner sur la table, et parcourut les titres. On y parlait surtout de la polémique soulevée par l'installation d'un feu rouge au croisement de la rue principale et de la rue Dakota.

— J'ai appris que Geena Hanson vous avait aidé au centre médical, aujourd'hui, dit Edna, tout en fourrageant dans son frigo. Cette fille n'a que la peau sur les os. Ruth — sa grand-mère et ma meilleure amie — m'a dit qu'elle ne touchait à rien dans son assiette. Vous ne pourriez pas faire quelque chose pour elle ?

— Je fais mon possible. Il faudrait d'abord qu'elle admette qu'elle a un problème, si elle veut le résoudre.

Il revoyait la déception de Geena lorsqu'il avait refusé de l'engager, une déception que tous ses sourires n'avaient pas réussi à dissimuler, et il se posait des questions. Il se disait que Hainesville devait pourtant lui paraître bien terne et bien monotone, comparé à la vie trépidante de la jet-set. Il avait reçu, lui aussi, un choc culturel en débarquant à Hainesville, mais pour des raisons totalement opposées. Les rues pavées, les magasins regorgeant de produits de consommation, et jusqu'au courant électrique dans toutes les maisons, tout cela lui donnait l'impression d'avoir fait un grand bond en avant. Il n'en demeurait pas moins que, dans toutes les petites villes du monde, on retrouvait les mêmes types humains : des gens sympathiques, un peu curieux, mais toujours prêts à rendre service à leurs voisins.

Edna secoua la tête.

— Ce n'est pas bon pour la santé, d'être maigre à ce point ! Est-ce que je vous ai dit que j'ai eu de nouveaux problèmes de vésicule ?

— Peut-être faudrait-il vous l'enlever, carrément.

— Vous croyez ?

— Je pourrais vous opérer, là, tout de suite, proposa Ben en gardant son sérieux. J'ai opéré dans des conditions bien plus rudimentaires que ça, au Guatemala. Je vais aller chercher mon sac et mes instruments.

Edna fit un bond en arrière, épouvantée.

— Pas question de me charcuter sur ma table de cuisine !

Puis elle éclata de rire en voyant se dessiner un sourire sur ses lèvres.

— Méchant garçon que vous êtes !

— Désolé, Edna, dit-il en riant de bon cœur avec elle.

Il se leva, et la prit par les épaules.

— Que diriez-vous si je vous invitais à dîner ce soir ?

Tous les vendredis soir, il s'offrait un énorme hamburger aux oignons et un milk-shake au chocolat, tout en se disant que ce genre de repas n'arrangeait pas son taux de cholestérol. Aussi essayait-il de compenser en faisant du jogging.

— Je vous remercie, Ben. Mais le vendredi soir, je joue au bridge avec mes amies. Chacune apporte une petite chose à grignoter pendant la partie.

Elle avait sorti des friands aux saucisses du réfrigérateur, les avait déballés et rangés sur un plateau.

— Dites, vous ne raconterez à personne que je ne les ai pas faits moi-même, hein ?

— Je suis un vrai tombeau.

Il se demandait à qui il pourrait bien le raconter, vu qu'il n'avait encore aucun ami en ville.

— Les autres sont toutes de bonnes cuisinières, mais, moi, je ne suis pas très douée. Alors, je leur dis que les friands sont une recette de ma grand-mère. En fait je les achète à Simcoe, ajouta-t-elle avec un sourire malicieux.

Ils entendirent une voiture klaxonner devant la maison.

— C'est sûrement Martha, dit Edna. Elle a encore son permis de conduire.

Edna saisit sa canne, mais avant qu'elle ait pu prendre le plateau, Ben la devança.

— Permettez-moi de vous aider.

Il le porta jusqu'à la voiture de Martha. La vieille Volvo était dans un état impeccable, et Ben supposa que Martha devait la conduire depuis 1958, l'année où sa production avait cessé.

Après le départ des deux amies, Ben s'assit dans la chaise longue du perron. Il savoura la douceur du crépuscule et le parfum délicat des gardénias qui ornaient les jarres de chaque côté des marches. Le soir n'était pas encore tombé, et des enfants jouaient au ballon sur un terrain à vendre, au bout de la rue. Un homme et une femme âgés, qui se promenaient, passèrent devant la maison et lui firent un signe de la main. Ben leur rendit leur salut, et comprit pourquoi il se plaisait tant dans cet endroit. Hainesville avait une dimension humaine, tout comme la petite ville du Texas où il avait passé son enfance.

Le téléphone de la cuisine se mit à sonner, et il entra pour répondre.

— Allô ?

— Ben ?

Il reconnut la voix de son frère.

— Eddie ! Je me demandais quand tu trouverais un moment pour m'appeler. Comment ça va, là-bas ? Tu t'en sors bien ?

— Tout va bien, répondit Eddie. Sauf qu'il n'a pas arrêté de pleuvoir des cordes depuis plusieurs jours.

— Est-ce que j'aurais oublié de te parler de la saison des pluies ?

58

— Mais je trouve que c'est intéressant, poursuivit Eddie sur un ton plus léger. Figure-toi qu'aujourd'hui on m'a donné un poulet vivant en guise d'honoraires. Ce volatile idiot est en train de saccager ma cuisine, pendant que je te parle.

Ben éclata de rire en imaginant la scène.

— Mais tu es censé le manger, et non en faire un animal de compagnie !

— C'est bien ce que je redoutais, mais je ne peux pas me résoudre à tordre le cou de cette pauvre bête. A quoi ressemble Hainesville ? Est-ce que tu es content de ton retour à la civilisation ?

Ben prit le téléphone sans fil et sortit.

— Hainesville est une merveille. On y trouve un seul feu rouge, un maire qui va à la pêche avec le directeur de la banque un jour de semaine, et les meilleurs hamburgers du pays. En ce moment, je suis assis sur le perron, en train de respirer l'air embaumé du soir et de regarder passer les gens.

— C'est idyllique, on dirait ! Je t'entends d'ici donner des coups de peinture blanche sur les piquets de ta clôture. Tu ne t'es pas encore trouvé une femme ?

— Accorde-moi un jour ou deux, tu veux bien ? Oh, tu ne devineras jamais... Tu te souviens de ce top model qui avait eu une syncope à Milan, celle qui avait sa photo dans le journal le jour où tu es arrivé ? Elle est ici. Elle a grandi à Hainesville, et y est revenue pour se refaire une santé.

— Et, naturellement, tu es son médecin traitant, dit Eddie en riant. C'est ta récompense, grand frère... Ton dessert, en quelque sorte !

— Oh pour ça, oui, c'est un dessert. Mais un homme ne vit pas uniquement de gâteaux et de crème glacée.

Il s'en voulut de faire des plaisanteries sur Geena, car elle lui avait vraiment donné un sérieux coup de main.

— Sans rire, c'est une fille bien.

— Si tu aimes ce genre-là, dit Eddie un peu sèchement.

— Ce qui n'est pas le cas.

Il la trouvait naturellement séduisante, dans un style glamour un peu superficiel, mais l'idée qu'il pouvait avoir une relation avec elle lui parut ridicule. En fait, Geena Hanson était aussi éloignée de son type de femme que la prude Greta Vogler, ce qui n'était pas peu dire.

— Tu prends tes cachets contre la malaria ? demanda-t-il pour changer de sujet, et aussi parce qu'il se préoccupait de la santé de son frère cadet.

— Oui, *maman*. Bon, je vais y aller, j'ai rendez-vous avec un couple d'instituteurs à la *cantina*.

Tandis qu'Eddie lui parlait, Ben avait l'impression d'entendre un air de marimba, et il éprouva une pointe de nostalgie.

— Bois une bière à ma santé, petit frère. Et donne-moi de tes nouvelles.

— Promis. Si je t'appelais chaque semaine à cette heure-ci, qu'en dis-tu ?

— Bonne idée. Je vais te donner mon numéro au cabinet médical, au cas où je devrais travailler tard.

Il lui épela les chiffres de son numéro, puis prit congé.

— A la semaine prochaine, mon pote.

Ce fut la chaleur qui réveilla Geena le lendemain matin. Constatant qu'il était à peine 10 heures, elle rejeta le couvre-lit en tissu damassé ivoire, ne gardant sur son corps nu qu'un drap de coton fin, et se blottit voluptueusement au creux des coussins roses. Comme elle n'avait aucune obligation de se lever, elle se laissa aller à rêvasser au gré de son imagination, se complaisant dans des fantasmes où le Dr Ben Matthews l'examinait sur sa table d'auscultation...

A midi, elle se traîna hors du lit, revêtit un fourreau de lin tout simple, et appliqua sur sa nuque quelques petites touches de parfum dans un flacon de cristal. Elle descendit dans la cuisine, sans se presser, en réfléchissant à la manière dont elle allait pouvoir occuper son temps pendant les mois à venir. Elle prit une pomme dans la coupe à fruits, en respira le parfum sucré, puis la reposa à regret ; elle avait faim, mais la faim était une sensation qu'elle avait pris l'habitude de combattre.

Elle entendit un bruit de pas sur les marches du perron. C'était Gran qui revenait, tout essoufflée, essuyant la sueur qui coulait sur son visage.

— Quelle chaleur, dehors ! Mais j'ai fait un sacré entraînement ! J'ai rencontré Marvin Taylor devant la mercerie, et nous avons remonté la rue Linden en faisant la course, tous les deux.

— Tu ne crois pas que tu forces un peu trop, Gran ? demanda Geena en voyant les taches de transpiration sur le sweat-shirt de sa grand-mère.

Depuis qu'elle s'était remise de sa crise cardiaque, un an auparavant, Gran prenait à cœur ses exercices physiques.

— Je m'entraîne pour la course amateur des seniors, répondit-elle. Bien sûr que, à mon âge, « courir » est un terme qui ne convient guère, et au bout du premier kilomètre, cela n'a plus rien d'amateur. Mais nous faisons ça pour récolter de l'argent et financer la construction d'une nouvelle maternité à l'hôpital de Hainesville. Greta Vogler tient beaucoup à ce projet, elle le défend d'arrache-pied.

Greta Vogler... C'était elle qui avait catalogué son père comme chauffard ivre, salissant ainsi sa mémoire, et empoisonnant leur enfance, à elle et à ses sœurs.

— Est-ce que Mlle Vogler enseigne toujours au lycée ?

Gran posa les mains sur le comptoir de la cuisine, et se mit à exercer ses quadriceps, en tirant sur ses cuisses.

— Elle est devenue proviseur adjoint, à présent. Ce qui me fait penser que Linda Thirsk a téléphoné, pour demander si tu avais l'intention de participer à la réunion au lycée.

Geena haussa les épaules, et sirota quelques gorgées d'eau minérale qu'elle venait de se servir.

— Je trouve incroyable qu'elle ait épousé Toby O'Connor.

Gran passa à des mouvements de flexion.

— J'ai laissé le numéro de Linda près du téléphone. Elle doit être chez elle à cette heure, tu devrais l'appeler.

Devant l'absence de réaction de Geena, elle interrompit ses mouvements.

— Mais tu as bien l'intention de la rappeler, n'est-ce pas ?

Geena vida son verre, avant de le poser dans l'évier. La réunion des anciennes élèves, Ben... On aurait dit que tout se liguait contre elle pour lui remémorer ses lacunes.

— Comment veux-tu que j'y aille ? dit-elle d'une voix qui tremblait légèrement. Je n'ai jamais eu mon bac.

— Crois-tu que ce soit vraiment important ? Tu as très bien réussi.

62

Derrière les verres de ses lunettes, le regard de Gran se teinta légèrement de regret et de compassion, mêlés d'un soupçon de culpabilité, ce qui n'était pas fait pour atténuer le manque de confiance en soi de Geena.

— J'ai tellement bien réussi que j'ai failli en mourir. Je vais marcher un peu..., dit-elle. A plus tard.

Elle se dirigea vers la porte d'entrée, et quitta la maison, sans aucune idée de l'endroit où la porteraient ses pas.

Gran courut derrière elle.

— Geena, est-ce que tu reviens déjeuner ?

— Je n'ai pas faim.

Geena se retrouva en train de marcher sur les trottoirs de la ville, brûlants de chaleur. Elle passa devant le drugstore, puis devant la banque où Erin avait travaillé avant la naissance de son bébé, et arriva devant le salon de coiffure d'Orville.

Elle n'avait pas encore eu l'occasion de revoir Orville depuis son arrivée, et elle savait que sa visite lui ferait plaisir. Il avait été un grand ami de son père, et elle l'avait toujours considéré comme son oncle lorsqu'elle était enfant. Elle regarda à travers la vitre du salon : Orville lui tournait le dos, occupé qu'il était à faire une coupe.

Le timbre de l'entrée résonna lorsqu'elle poussa la porte, et le vieux parfum épicé d'eau de toilette, mélangé à l'odeur des lotions, l'accueillit dans la fraîcheur du salon de coiffure.

— Bonjour, Orville.

Orville, la cinquantaine sémillante, portait invariablement un pantalon blanc impeccable et un pull en cachemire. Au son de sa voix, il se retourna avec un grand sourire, et s'avança vers elle pour l'accueillir.

— Geena ! Comment va ma fille préférée ?

— Si je suis ta fille préférée, avec qui sors-tu le samedi soir ? demanda-t-elle sur un ton taquin.

Orville avait perdu sa femme très jeune, et ne s'était jamais remarié. Aux yeux de Geena, c'était dommage.

— Je vais bien, répondit-elle. Et toi ?

— Comme d'habitude. Un pas de retard sur l'inspecteur des impôts, et un pas d'avance sur la Faucheuse.

Lorsqu'il se déplaça, Geena jeta un coup d'œil dans la glace et aperçut le visage du client assis dans le fauteuil. C'était Ben. Sa vue provoqua en elle une réaction de surprise, de joie, mais en même temps une sorte de gêne, car il ne lui était jamais arrivé de se faire repousser par un homme.

Orville reprit son travail, en maniant les ciseaux et le peigne avec dextérité. Geena s'avança d'un pas nonchalant jusqu'au comptoir, et se percha sur le rebord, se trouvant ainsi en face de Ben. Le seul moyen de surmonter son embarras était de l'attaquer de front.

— Bonjour, dit-elle.

— Bonjour, répondit-il en la regardant de haut en bas. Toute la ville crève de chaud, et vous semblez bien être la seule à ne pas être incommodée.

— Ce n'est qu'une illusion, cultivée par des années passées sous les projecteurs, dit Geena d'un ton léger. Alors, Orville, quelle facette de ton talent exerces-tu sur les cheveux du docteur ?

— Juste une petite coupe, n'est-ce pas, docteur ?

Ben approuva par un signe de tête, et Geena s'installa plus confortablement sur le comptoir.

— Autrefois, Orville me coupait les cheveux, à moi aussi.

— Jusqu'au jour où tu as atteint l'âge de six ans, et que tu as décidé qu'il te fallait un styliste. Ta grand-mère a dû t'emmener dans un salon de Simcoe, expliqua Orville.

— C'était bien avant que Wendy ne s'installe ici.

Geena pencha légèrement la tête et considéra Ben.

— Avec votre bouc et votre moustache, drapé dans cette blouse noire, vous ressemblez à un petit Zorro.

Ben leva les sourcils, tout en prenant une expression faussement méchante.

— Vous aimez, *señorita* ?

— C'est un peu années quatre-vingt-dix, répondit-elle sur un ton taquin. Mais cela peut passer dans un endroit comme Hainesville.

— Est-ce que tu insinuerais que nous ne sommes pas à la pointe de la mode, ici ?

— Hainesville ne fait pas partie de l'univers de la mode, répondit Ben. On dirait même qu'elle est sur une autre planète que Paris ou Milan.

Il tenait un magazine sur les genoux, et Geena fut surprise de voir qu'il s'agissait d'un numéro de *Vogue* dont elle avait fait la couverture.

— Comme vous pouvez le constater, je suis en train d'étudier la question.

Geena lança un rapide coup d'œil sur la double page qui exhibait une photo d'elle, prise au cours d'un défilé à New York, trois ans plus tôt.

— Quelle horreur ! J'étais beaucoup trop grosse, à cette époque-là. Orville, comment se fait-il que tu aies *Vogue* dans ton salon ? Tu n'avais que *Chasse et Pêche* et le *Reader's Digest*, autrefois.

— C'est Kelly qui me les a laissés. Elle m'a dit qu'elle préférait distribuer ces vieux numéros plutôt que de les jeter. Tu serais étonnée du nombre d'hommes qui les feuillettent.

La sonnette tinta, annonçant l'entrée d'un client. Orville s'excusa pour aller noter le rendez-vous du nouvel arrivant.

Quant à Ben, il continuait de regarder les photos de Geena.

— Ces kilos en plus vous allaient bien.

— J'étais hideuse. Sautez la page.

Pour faire diversion, elle entreprit de ranger les peignes et les brosses, en les étalant en éventail sur le comptoir. Elle ne savait pas trop quoi penser de l'admiration de Ben devant cette image d'elle qui lui déplaisait.

Il lui parla d'un ton calme, mais rempli de conviction.

— Vous êtes belle, Geena. Pourquoi est-ce que vous ne vous aimez pas ?

Ces paroles provoquèrent en elle un choc qui la fit tressaillir de tout son être. Elle leva brusquement les yeux, et rencontra son regard dans la glace.

— Mais qu'est-ce que vous racontez ? Bien sûr que je m'aime !

Réalisant qu'elle avait répliqué un peu trop vivement, elle eut un haussement d'épaules et ajouta d'un ton léger :

— Juste après ce défilé-là, une jeune Géorgienne m'a remplacée en tête d'affiche et j'ai bien été obligée de faire quelque chose pour retrouver ma place.

Ben ne répondit pas, se contentant de secouer lentement la tête. Pendant cet instant de silence, des idées contradictoires se bousculèrent dans sa tête.

Tout le monde ne cessait de lui répéter qu'elle était belle. Cela ne voulait rien dire.

Il ne l'aurait pas dit, s'il ne l'avait pas pensé.

Ben était un médecin qui s'inquiétait des effets sur la santé d'une maigreur excessive.

Et puis, pourquoi attacherait-elle de l'importance à son opinion ?

Orville revint. Geena sauta à terre, un sourire radieux sur les lèvres, et lui planta un baiser sur chaque joue.

— Il faut que j'y aille. Ciao.

Puis, comme si cela lui venait après coup, elle agita les doigts par-dessus son épaule.

— Ciao, Ben.

— Elle est bien pressée, tout à coup, dit Orville, tandis que la porte se refermait sur Geena.

Il haussa les épaules, et prit le miroir pour montrer à Ben sa coupe de cheveux sous tous les angles.

— Qu'en pensez-vous ? C'est assez court, ou vous voulez que j'en enlève encore un peu ?

— C'est parfait pour les cheveux, répondit Ben en se passant la main sur le menton, les yeux fixés sur l'image que lui renvoyait la glace.

« Alors, ça fait trop années quatre-vingt-dix, hein ? Qu'est-ce qu'on peut reprocher aux années quatre-vingt-dix ? » Et après tout, pourquoi aurait-il accordé de l'importance à son opinion ?

Geena entra dans le café, à quelques mètres de là, et commanda un petit cappuccino, avant de s'installer près de la baie vitrée, dans l'espoir d'apercevoir Ben quand il passerait.

Obéissait-elle ainsi à l'espoir de le voir se joindre à elle, ou bien au désir d'éviter de tomber sur lui ? En tout cas, une évidence s'imposait à elle : cet homme commençait à l'obséder, et il n'allait certainement pas tarder à lui demander de sortir avec lui. Ce n'était plus qu'une question de temps. Il lui faudrait naturellement inventer une excuse, car elle ne pouvait décemment pas accepter une première invitation. Il lui resterait à trouver, ensuite, un moyen subtil de lui faire comprendre qu'il pouvait renouveler sa demande.

Geena s'attarda devant son cappuccino, jusqu'à ce qu'il ne reste plus qu'un peu d'écume desséchée au fond de la tasse. Elle se rendit à l'évidence : Ben ne passerait pas devant le café, il ne viendrait pas s'asseoir près d'elle et ne l'inviterait pas à sortir. Du moins pas ce jour-là.

Elle se leva à regret, régla sa note et quitta les lieux pour reprendre sa promenade à travers la ville. Elle traversa l'avenue principale et s'engagea dans les rues adjacentes, où elle flâna sans but, une façon pour elle de refaire connaissance avec Hainesville.

Avant d'avoir pu s'en rendre compte, ses pas l'avaient guidée jusqu'au lycée. Elle contempla le bâtiment en brique, fermé pour les vacances, les terrains de jeux déserts et les volets fermés, qui donnaient à l'ensemble une atmosphère d'abandon. Elle se prit à regretter d'avoir interrompu ses études, et se dit qu'il n'était peut-être pas trop tard pour s'y remettre et passer son bac. Mais l'idée de se retrouver, à son âge, assise en classe en compagnie de garçons boutonneux et de filles prises de fous rires lui parut tout à fait grotesque.

Petite fille, elle avait rêvé d'une brillante carrière d'avocate ou de médecin, puis elle s'était transformée peu à peu en une jeune fille éblouissante, et alors on n'avait plus vu en elle que sa beauté.

Elle ne s'était pas fait prier pour quitter l'école à seize ans, mais elle se rendait compte à présent qu'elle n'avait pas eu une jeunesse normale, et elle le regrettait. Elle songeait à toutes ces soirées de gala, à ces multiples voyages, et s'apercevait que, au bout du compte, elle n'avait jamais utilisé son intellect, sauf pour calculer les décalages horaires entre Paris et New York. Certes, elle avait appris très jeune à se débrouiller, à se battre pour survivre, toutes choses indispensables pour réussir. Mais, quant aux dissertations, aux mathématiques et autres matières, son cerveau était trop limité et trop paresseux pour les appréhender.

Ce qu'elle aimait par-dessus tout dans son métier, c'était porter des vêtements luxueux, voyager, côtoyer des célébrités dans les réceptions. Elle considérait que, malgré tout, elle n'avait pas l'esprit complètement vide : elle connaissait les clubs branchés de toutes les capitales, elle savait qui faisait quoi et qui sortait avec qui. Elle possédait l'art de donner vie à la création d'un couturier et de glisser le long d'un podium avec la grâce et la majesté d'une reine.

Et pourtant... Elle ressentait un manque, un vide. Depuis son expérience de mort temporaire, sa vie lui apparaissait comme dénuée de substance. Personne ne la prenait au sérieux, personne ne l'écoutait. Et d'ailleurs elle n'exprimait que très rarement son opinion, vu qu'elle n'avait aucune culture générale. Elle connaissait le nom du président, mais rien sur le fonctionnement du système électoral ; elle avait entendu parler de John Steinbeck, mais aurait été incapable de dire quelle était sa place dans la littérature américaine. Le monde de la connaissance était tellement vaste, si divers, et elle n'en maîtrisait quasiment rien.

Elle avait envie de donner un nouveau sens à sa vie, en apportant quelque chose aux autres. Et qui sait, l'école serait peut-être la clé d'un nouvel avenir ?

Elle se retourna en entendant du bruit derrière elle, et découvrit Greta Vogler occupée à balayer l'allée de sa maison, tout en fixant sur elle son regard gris et perçant. Geena avait oublié que son ancien professeur habitait juste en face du lycée depuis plus de trente ans. Greta avait tout de la vieille fille, avec son col boutonné jusqu'au menton, ses cardigans sans forme et ses jupes à mi-mollet, depuis longtemps passés de mode.

Geena aurait pu avoir un mouvement de sympathie pour Greta, si sa présence n'avait pas réveillé en elle une vieille rancœur vis-à-vis de celle qui avait répandu des rumeurs malveillantes sur ses parents. Elle faillit s'éloigner sans la saluer, mais les paroles de sa mère lui revinrent à la mémoire. Elle n'avait pas suffisamment de charité chrétienne en elle pour lui pardonner, mais elle réussit à lui adresser un bonjour poli.

Greta prit cela comme une invitation à traverser la rue, et elle la rejoignit, son balai à la main.

— Bonjour, ma chère. Je suis ravie de vous revoir parmi nous. J'ai été désolée d'apprendre ce qui vous est arrivé à Milan. Mais cela n'a rien de surprenant, quand on vous regarde. Vous n'avez que la peau sur les os..., ajouta-t-elle en examinant Geena de la tête aux pieds.

Geena en avait plus qu'assez de s'entendre reprocher sa maigreur.

— Mademoiselle Vogler, je voulais vous demander... Est-ce qu'il est possible de préparer le bac par correspondance ?

— Ah, c'est vrai ! Vous n'avez jamais fait votre terminale, dit Greta en hochant la tête. J'ai toujours pensé que Ruth avait agi à la légère en vous laissant partir si jeune.

Geena eut un haussement d'épaules.

— Je crois que je ne vaux pas la peine qu'on perde son temps à essayer de m'instruire, je suis trop stupide.

Greta lui jeta un regard dur.

— Pourquoi parlez-vous ainsi ? A croire que c'est uniquement pour qu'on vous contredise ! Cela ne vous suffit donc pas d'être riche et célèbre ?

Geena fut décontenancée par cette dernière remarque. En effet, pourquoi avait-elle parlé ainsi ? Elle ne pensait pas vraiment ce qu'elle avait dit, mais elle croyait que c'était l'image que les autres se faisaient d'elle.

— Vous avez raison. Excusez-moi.

— Vous n'avez pas besoin de vous excuser non plus. Si vous désirez poursuivre vos études, pourquoi ne pas essayer d'obtenir le diplôme équivalent du bac ?

Geena jeta un rapide coup d'œil alentour, pour s'assurer que personne ne pouvait entendre leur conversation.

— Qu'est-ce que c'est ? Je ne pense pas que je pourrai suivre les cours.

— C'est l'équivalent du bac. Ce diplôme vous permet d'entrer à l'université, et vous n'êtes pas obligée d'aller au lycée pour le passer.

— C'est intéressant.

Si elle obtenait ce diplôme, elle pourrait assister, sans avoir à en rougir, à la réunion des anciennes du lycée. Et, qui sait, rien ne l'empêcherait ensuite de poursuivre ses études à l'université. Elle s'aperçut tout à coup qu'elle devait avoir perdu la tête, pour confier son secret à la plus grande commère de Hainesville. Elle tenait absolument à ce que personne ne soit au courant de ses projets, et surtout pas Ben.

— Cela m'intéresse, mais je vous en prie, mademoiselle Vogler, je veux que tout cela reste entre nous. Autre chose : il faut que j'aie mon diplôme avant la fin octobre.

— Ah ! C'est la date de la dixième réunion. J'imagine que vous seriez gênée qu'on vous rappelle que, malgré votre célébrité, vous n'avez toujours pas terminé votre cursus scolaire.

Geena réussit à grimacer un sourire glacial.

— Vous avez toujours le chic pour expliquer les choses avec clarté.

— C'est ce qui fait de moi un bon professeur. Je peux vous aider, mais cela vous demandera beaucoup de travail. Ne vous imaginez pas que vous pourrez traînailler comme vous le faisiez à seize ans. Votre beauté ne pourra pas vous servir éternellement. Il est bon que vous vous en soyez rendu compte avant qu'il ne soit trop tard.

En l'écoutant, Geena ne pouvait s'empêcher de se mordre la langue jusqu'au sang.

— Je ferai ce qu'il faudra, quel que soit le prix à payer.

— Je suis ravie de l'entendre, car j'espérais que vous me rendriez un petit service en échange. D'ailleurs, je m'apprêtais à aller vous voir à ce sujet.

— Je serais très heureuse de vous aider, s'entendit-elle répondre.

— Vous êtes certainement au courant de l'action que je mène pour récolter des fonds destinés à financer la nouvelle maternité. Le comité des aides-soignantes organise un loto au profit de notre action. J'aimerais que vous revêtiez votre plus belle robe et que vous annonciez les numéros.

Animatrice de loto ! Geena ne savait s'il valait mieux en rire ou en pleurer.

— Je ne suis pas très douée pour les nombres, mademoiselle, dit-elle en essayant de gagner du temps. Mais, puisque vous parlez de belles robes, il me vient une idée. Que penseriez-vous d'un défilé de mode ?

— Je ne connais rien à la mode, dit Greta en fronçant les sourcils.

— Mais moi, si. Ce serait formidable. Nous ferions de la publicité dans tout le comté, et nous pourrions récolter beaucoup d'argent.

Cette perspective eut pour effet de radoucir Greta, mais celle-ci éprouva le besoin de mettre Geena en garde.

— Vous aurez du mal à convaincre les aides-soignantes. Elles tiennent absolument à leur soirée loto. Mais venez à notre prochaine réunion, et nous en discuterons.

4.

Ben ôta le capuchon de son stylo, et rédigea l'ordonnance de Mme Gribble. De sa main libre, il se mit à caresser machinalement sa lèvre supérieure, à présent dépourvue de moustache, et ce geste lui rappela sa dernière rencontre avec Geena. Autre chose encore ramenait son esprit sur la jeune femme : tout près de son coude se trouvaient les résultats d'analyses envoyés par le laboratoire, et il avait noté que ceux de Geena manquaient.

Il étouffa un bâillement derrière sa main, tout en s'efforçant d'écrire lisiblement. La fatigue de cette longue journée de travail commençait à se faire sentir, d'autant plus qu'il avait passé les premières heures de l'aube à réfléchir, et à se demander s'il était conforme à la déontologie médicale de sortir avec une patiente. Et pas n'importe laquelle : une patiente qui n'avait absolument rien de commun avec lui, et qui était une vedette pour les habitants de la ville. Une patiente qui dissimulait une grande vulnérabilité sous des dehors un peu provocants. Il était certain que la plupart des gens s'y laissaient prendre, mais pas lui. Malheureusement, elle ne lui en devenait que plus attachante.

Sa nouvelle infirmière à l'accueil, Barbara, était très qualifiée et faisait preuve d'efficacité, mais il lui manquait le sens du contact et la cordialité qu'il avait appréciés chez Geena. Si cette idée ne lui avait pas paru absurde, il aurait presque été tenté d'engager Geena.

— Et voilà, Geena, murmura-t-il en tendant l'ordonnance par-dessus le bureau.

Mabel Gribble, qui attendait patiemment, les bras croisés sur sa poitrine plantureuse, eut un petit rire.

— Je crois que vous vous égarez, docteur. Je suis Mabel.

Ben leva un regard atterré sur Mabel, qui le considérait avec une curiosité bienveillante.

— Euh… Excusez-moi, j'avais la tête ailleurs. Je pensais à autre chose…

— Plutôt à quelqu'un d'autre, vous voulez dire ? demanda Mabel sans avoir l'air d'y toucher. J'imagine que vous parliez de Geena Hanson ? Elle est ravissante, n'est-ce pas ? Le portrait de Audrey Hepburn jeune. J'aimerais bien avoir sa silhouette, ajouta Mabel en soupirant.

— Eh bien, vous avez tort, rétorqua Ben en se levant. Prenez un de ces cachets, trois fois par jour au moment des repas, et vos douleurs à l'estomac vont rapidement disparaître.

Ben raccompagna Mme Gribble à la porte, et fit entrer la patiente suivante, une jeune femme à la silhouette agréablement ronde, mise en valeur par le jean ajusté et le T-shirt décolleté qu'elle portait.

— Madame Morissey, n'est-ce pas ? C'est bien vous que j'ai vue passer l'autre jour avec une troupe de bambins ?

Elle ramena en arrière une grande mèche de cheveux bruns en rougissant légèrement, ravie qu'il l'ait reconnue.

— Appelez-moi Tricia. Je m'occupe de la garderie, et j'emmenais les enfants au parc. Oh, au fait, c'est « mademoiselle ».

Le visage de Ben prit une expression aimable mais neutre, devant la manière dont elle affirmait son statut de célibataire. Tricia Morissey n'était pas la première femme, depuis son arrivée à Hainesville, à lui faire des avances. Sa situation de jeune médecin, sans attaches, faisait de lui une cible de choix.

— Bien, Tricia. Qu'est-ce qui vous amène ?

— Je me suis fait un tour de reins en soulevant un des enfants, et j'ai si mal que je peux à peine bouger.

Elle cambra le dos en touchant ses vertèbres lombaires, mettant ainsi en évidence ses jolis seins tendus, mais le regard de Ben n'exprima qu'un détachement professionnel.

— Levez-vous, je vais tester le champ de vos mouvements.

Il se mit derrière elle, et lui fit bouger les bras. Puis il lui demanda ensuite de faire pivoter sa colonne vertébrale, et de se pencher en avant, tout en essayant de localiser la source de la douleur par le toucher.

— Je crois savoir que vous n'êtes pas marié, dit Tricia. Est-ce que vous vous êtes déjà fait des amis à Hainesville ?

— Je commence à connaître des gens, répondit-il avec prudence.

Il pressentait ce qui allait suivre, et aurait bien voulu ne pas avoir à la repousser. En même temps, une petite voix lui disait : « Tu es stupide. Pourquoi ne pas sortir avec elle ? »

— Nous sommes plusieurs à aller danser à Simcoe le vendredi soir, dit-elle avec un sourire. J'aurais besoin d'un cavalier, si vous êtes disponible, ajouta-t-elle en rougissant un peu.

Elle était jolie, célibataire et plus qu'agréable, mais elle ne suscitait aucune ardeur en lui. Elle le laissait même totalement froid. En d'autres termes, elle n'était pas Geena.

— Euh... J'apprécie votre invitation, mais je suis pris tous les vendredis soir.

— Bon, dit-elle avec un petit sourire. Vous ne pouvez pas m'en vouloir d'essayer.

— Bien sûr que non. Alors, pour en revenir à votre dos, vous vous êtes simplement froissé un muscle. Il semble que les ligaments et les articulations ne soient pas touchés, dit-il en rédigeant une ordonnance. Les problèmes de dos finissent par rentrer dans l'ordre, avec le temps. Faites de la marche, et prenez les anti-inflammatoires que je vous prescris. Ils supprimeront la douleur.

— Merci, docteur, dit-elle en prenant la feuille. Si vous changez d'avis pour vendredi, vous savez où me trouver.

— Je n'oublierai pas. Si jamais vous ressentez des picotements dans le dos et les jambes, ou s'ils sont engourdis, venez me voir aussitôt. Et à l'avenir, baissez-vous en fléchissant les genoux, quand vous aurez à soulever des enfants.

Dès qu'elle fut partie, il demanda à Barbara de faire attendre le patient suivant, le temps de passer un appel. Après quoi, il sortit la fiche de Geena et composa son numéro, en se préparant mentalement à ne pas lui manifester trop de gentillesse. Il devait lui faire sentir qu'il n'était pas très content d'elle.

*
* *

Geena ferma d'un coup sec le livre de mathématiques que Greta lui avait prêté, et s'écarta de son bureau d'écolière en étirant ses jambes tout ankylosées. Elle n'avait jamais rien compris à l'algèbre, et ne voyait aucune raison pour que cela change. Que pouvaient bien représenter toutes ces lettres ? Et comment expliquer qu'un côté de l'équation était égal à l'autre, alors qu'en fait ils étaient totalement différents ?

A vrai dire, elle trouvait tout cela ennuyeux au possible. Elle mit un CD de Macy Gray et se promena à travers la chambre, tapotant les coussins de son fauteuil en osier, redressant un bouton de rose dans le vase bleu, rectifiant la position du cadre d'argent sur la console ancienne, dont le vernis s'écaillait.

Depuis leur rencontre dans le salon de coiffure, elle n'avait pas eu de nouvelles de Ben. Que faisait-il, à cet instant même ? Etait-il en train d'examiner un bébé ? De s'occuper d'un bras cassé ? De flirter avec sa nouvelle infirmière ? Cette dernière éventualité lui parut peu probable, car elle avait aperçu Barbara au supermarché, et celle-ci lui avait fait l'effet d'une femme terriblement efficace, mais d'un abord peu aisé.

En attendant, elle trouvait plutôt agaçant que, depuis qu'ils avaient lié connaissance, deux semaines auparavant, il ne lui ait pas une seule fois proposé d'aller prendre un café ensemble. Dave, qui faisait le ménage chez Gran, l'avait déjà invitée trois fois à manger une pizza, Ray, le patron de Kelly, se mettait à ses pieds chaque fois qu'elle croisait son chemin, ce qui, heureusement pour elle, n'était pas trop fréquent. Même le jeune assistant du pharmacien lui avait proposé d'aller au cinéma avec lui. Presque tous les célibataires de la ville avaient tenté leur chance, mais Geena, qui était passée maîtresse dans l'art de décliner des invitations, avait chaque fois refusé poliment. Elle attendait, et espérait que Ben se déciderait enfin à lui demander de sortir un soir.

Fatiguée de tourner en rond dans la maison, elle se résolut à prendre les devants. Le téléphone se mit à sonner juste au moment où elle partait pour le cabinet médical, et elle eut une seconde d'hésitation. Allait-elle faire demi-tour pour décrocher, ou laisser le répondeur se déclencher ? Elle opta pour la deuxième solution.

A l'instant où elle entrait dans le cabinet, Ben sortait de son bureau pour appeler le patient suivant. Il lui fallut une seconde pour se rendre compte de ce qui avait changé chez lui, et elle esquissa un sourire ravi, légèrement triomphant, en constatant qu'il avait rasé sa moustache et son bouc, et surtout en découvrant la minuscule fossette qui ornait son menton volontaire.

Dans son souvenir, il n'était pas aussi grand. Elle portait des talons plats, et il la dépassait d'une bonne dizaine de centimètres. Elle apprécia d'un coup d'œil son allure virile, ses larges épaules sous la chemise de coton blanc, et se dit qu'elle avait devant elle la preuve vivante que muscles et cervelle pouvaient faire bon ménage. Le simple fait de le voir accéléra les battements de son pouls.

Il avait dû recevoir le message, car il leva les yeux. Son visage s'éclaira un bref instant, avant de reprendre son expression sérieuse et professionnelle.

— Geena, j'étais justement en train d'essayer de vous joindre. Si vous pouvez patienter quelques instants, je voudrais vous voir dans mon bureau.

— Je peux attendre cinq minutes.

Le cœur joyeux, elle prit un siège. Ainsi, Ben attachait de l'importance à son opinion, puisqu'il s'était rasé. Ben désirait lui parler, et il avait vraiment essayé de l'appeler.

Elle avait eu le temps de lire le magazine *People* d'un bout à l'autre lorsque enfin il la fit entrer dans son bureau. Elle se rendit compte aussitôt de son attitude formelle, et commença à douter du caractère amical de leur entrevue.

— Y a-t-il quelque chose qui ne va pas ? demanda-t-elle sur un ton léger. Si votre réceptionniste ne fait pas l'affaire, je pourrais me libérer quelques heures par jour.

— La réceptionniste est bien. Excellente même. Le problème, c'est vous. J'ai eu la nutritionniste de Simcoe au bout du fil.

— Et alors ? lança-t-elle en croisant très haut ses longues jambes.

— Alors, vous savez très bien pourquoi je tenais à vous voir. Vous n'avez pas pris de rendez-vous, et encore moins demandé d'analyse. Vous n'avez même pas fait faire de prise de sang. Ne voyant pas arriver de résultats, j'ai téléphoné au labo, et j'ai tout de suite compris que vous n'avez pas vu la nutritionniste non plus. Un simple coup de fil me l'a confirmé.

— Je vais m'en occuper.

Il ferma le dossier et se leva.

— Oh oui ! Car vous y allez sur-le-champ. Et avec moi.

— Certainement pas.

Aucun homme ne lui avait jamais donné d'ordres. Les photographes la cajolaient, les stylistes gémissaient ou se répandaient en compliments, selon leur humeur du moment. Quant aux hommes qui voulaient sortir avec elle, ils lui promettaient monts et merveilles.

— Je dispose exactement de quarante minutes pour vous emmener au labo et chez la nutritionniste, dit Ben en lui tendant la main. Vous feriez mieux de vous mettre en route sans perdre de temps.

Elle détestait s'avouer que recevoir des ordres de Ben lui procurait un petit frisson de plaisir, mais pour autant elle n'allait pas le suivre docilement.

— Vous auriez pu me consulter avant de prendre un rendez-vous. Je suis très occupée.

— Occupée à quoi ?

— Cela ne vous regarde pas, répondit-elle en pensant à tous les livres éparpillés dans sa chambre.

Pour rien au monde il ne devait savoir qu'elle essayait de passer des examens ! Elle en mourrait de honte, s'il l'apprenait.

— Rien ne peut être plus important que votre santé, dit-il sur un ton qui n'admettait pas de réplique. Je vous emmènerai à Simcoe, même si je dois vous jeter sur mon épaule et vous traîner jusqu'à ma voiture.

Même si Geena comprenait qu'il ne parlait pas sérieusement, son cœur se mit à battre à un rythme qui ne devait rien au stress ni aux stimulants. Elle leva un sourcil, et lui adressa un sourire dénué de chaleur.

— Autant je pourrais apprécier cela en d'autres circonstances, autant il me semble que, là, ce n'est ni le lieu ni le moment, docteur.

Piqué au vif, il fit une grimace, puis il lui prit fermement la main et la tira vers lui pour la faire lever.

— D'accord, dit-elle en prenant son sac à main. Je viens, mais la prochaine fois je vous demanderais de me prévenir.

Les tests sanguins ne lui posèrent aucun problème, mais en revanche, dès qu'elle pénétra dans le bureau de la nutritionniste, elle éprouva une impression désagréable. Elle se sentit examinée des pieds à la tête. Après quoi la praticienne lui posa des milliers de questions sur sa santé, la mesura, la pesa pour déterminer sa masse corporelle. Ensuite, la nutritionniste lui demanda de noter sur une feuille tout ce qu'elle avait mangé ou bu durant les sept derniers jours. Cela servirait à déterminer si son régime alimentaire était suffisamment nutritif.

— Vous êtes content ? demanda Geena sur le chemin du retour.

— Follement heureux. S'occuper de vous n'est pas chose facile, vous savez.

Elle examina ses ongles, et nota que son vernis ne tarderait pas à s'écailler.

— Personne ne s'est plaint, jusqu'à présent.

— Il vous faut un ange gardien, répondit-il en pinçant les lèvres.

— Vous êtes candidat ? lui lança-t-elle avec un sourire en coin.

— Ah, j'aimerais bien voir ça ! dit-il en secouant la tête, comme s'il ne pouvait réprimer un sourire. Faites en sorte de suivre les conseils de la nutritionniste.

— Sinon ? rétorqua-t-elle en se prenant au jeu.

— Sinon, je vous renverserai sur mes genoux et vous donnerai une bonne fessée.

— Des promesses, toujours des promesses...

A la manière dont il réagit, contractant sa bouche, Geena sentit son corps s'animer d'une énergie nouvelle. Ben avait beau désapprouver sa manière de vivre, elle ne lui était pas indifférente. Pas du tout, même, se dit-elle en surprenant le regard en biais qu'il lui glissa.

— Avez-vous quelque chose de prévu pour samedi ? lui demanda-t-elle.

— Pas vraiment. Pensiez-vous à quelque chose de précis ?

— J'aimerais bien aller à Seattle pour jeter un coup d'œil au Nightmoves. C'est le club le plus branché de la ville. Il se trouve que je connais le portier, et qu'on ne sera pas obligés de faire la queue pour entrer.

— Un club, répéta-t-il, dubitatif. Avec de la musique à fond, une atmosphère enfumée, des corps en sueur entassés dans une salle bondée ? Désolé, mais ce n'est pas mon genre d'endroit. Et si vous dîniez avec moi, plutôt ? J'ai ma table réservée à la Steakerie, le vendredi soir.

Il eut un large sourire avant d'ajouter :

— Je connais la serveuse, et elle nous servira des milk-shakes énormes.

Geena secoua la tête à regret. Elle avait mangé une orange au petit déjeuner, une biscotte avec une mince couche de fromage allégé au déjeuner, et avait prévu une salade sans assaisonnement pour le dîner. Elle n'accepterait jamais que Ben Matthews s'ingénie à lui faire reprendre du poids, et elle ne voulait pas non plus subir le supplice de Tantale devant des hamburgers juteux et des oignons grillés. Elle n'avait pas dégusté les délicieux hamburgers de la Steakerie depuis le jour où elle s'était envolée pour New York, à l'âge de seize ans. Elle salivait rien qu'en évoquant ce repas-là, et ne l'avait jamais oublié.

— Merci. Non, merci, répondit-elle, plus qu'à regret.

Il arrêta la voiture devant la maison de Gran, et accompagna Geena jusqu'à la porte. Il s'attarda un moment, comme s'il hésitait à repartir, et elle se dit avec espoir qu'il réfléchissait à une autre façon de passer ensemble une soirée agréable.

— Vous m'avez dit que ça vous plaisait de donner un coup de main au cabinet, dit-il finalement, en cherchant à capter son regard pour s'assurer qu'elle avait été sincère.

— C'est vrai, répondit-elle.

— J'ai une proposition à vous faire.

— Une proposition ? De quoi s'agit-il ?

— De Tod. Il vient de quitter l'hôpital, après sa chimiothérapie. Sa mère, Carrie, est seule et travaille toute la journée pour arriver à joindre les deux bouts. Elle doit aussi s'occuper du bébé, et ne peut pas consacrer tout le temps qu'elle voudrait à Tod.

— Et qu'est-ce que je peux faire ? demanda Geena, sa bonne humeur soudain envolée.

— Aller le voir, lui faire la lecture. Il se sent plutôt déprimé, et une présence amie pourrait lui faire le plus grand bien.

— C'est un gosse formidable, mais il préférerait certainement jouer avec des garçons de son âge.

— Ses copains de classe vont le voir, mais je ne connais pas beaucoup d'enfants de neuf ans qui peuvent rester longtemps au chevet d'un malade. J'ai vu comment il a réagi le jour où vous étiez au cabinet, et je sais qu'il aimerait vous revoir.

Geena n'était pas très convaincue de ses capacités à aider un enfant atteint d'un cancer. Cependant, Ben paraissait lui faire confiance, et elle avait trouvé Tod adorable. Elle ne pouvait donc pas dire non.

— D'accord.

— Merci. Je vais mettre ça sur pied avec sa mère.

Un sourire éclaira le visage de Ben, et il posa sur elle son regard brillant.

L'idée qu'elle venait de gagner l'estime de Ben transporta Geena, en même temps qu'un sentiment nouveau envahissait son être d'une douce chaleur. Un sentiment qu'elle n'avait pas souvent éprouvé durant sa vie débridée et narcissique de top model.

Elle allait enfin tendre la main à quelqu'un.

— Salut, Ben ! dit Eddie, dont la voix semblait venir de la pièce à côté.

— Hé, petit frère ! Comment ça va ?

Ben s'accroupit sur un coussin. La maison qu'il venait de louer était pauvrement meublée, mais cela ne le dérangeait pas. Il avait décoré les murs blancs de tapis bariolés, ramenés du Guatemala, disposé quelques paniers tressés, deux ou trois meubles tout simples, et il se sentait chez lui.

— Il continue de pleuvoir, mais je commence à m'y faire, répondit Eddie. Je connais les noms de la plupart des habitants du village, et j'ai même appris quelques mots de dialecte. Seulement je n'ai pas pu aller voir certains villages de montagne, car les routes de terre sont coupées.

— Cela aurait été bien pire si tu avais été bloqué là-haut. Est-ce que tu as été confronté à des problèmes médicaux difficiles à régler ?

— Jusqu'à présent, non. Cependant, je m'inquiète pour une patiente qui habite un village au pied du volcan Santa Maria. C'est une très jeune femme, qui attend son premier bébé. Sa grossesse se passe mal, et j'aimerais la faire admettre à l'hôpital de Quez, en observation.

Ben se remémorait trop bien son sentiment de frustration devant l'insuffisance des équipements sanitaires dans les montagnes.

— A l'impossible nul n'est tenu, dit-il, en sachant très bien que son frère, tout comme lui, ferait tout pour sauver un patient.

— Il y a un homme qui va m'emmener là-haut à dos d'âne, demain.

Ben fut content de voir qu'Eddie confirmait ses hypothèses.

— Bonne chance. A propos, comment va la jambe d'Ysidro ? C'était une mauvaise fracture.

— J'ai ôté le plâtre il y a quelques jours. Tout va bien, tu as fait du bon travail.

Ils parlèrent encore pendant quelques minutes des patients d'Eddie, puis ce dernier demanda :

— Et comment va ton top model ?

— Exaspérante, horripilante... délicieuse. Elle va me donner un coup de main, avec un jeune leucémique.

— Ah, je vois que l'histoire se corse, dit Eddie en riant. La dernière fois que je t'ai eu au téléphone, tu ne voulais pas entendre parler d'elle. En quoi t'apporte-t-elle son aide, docteur ?

— En rien du tout, alors n'en parlons plus. Nous sommes très différents, tous les deux. Elle m'a proposé d'aller dans un night-club avec elle ! Tu me vois, moi, dans un night-club ? J'ai refusé, naturellement.

— Naturellement, répéta Eddie sur un ton pince-sans-rire. Si une femme belle, riche et célèbre m'invitait à sortir avec elle, je dirais non, moi aussi. Je trouve que tu as parfois des idées trop arrêtées, grand frère. Tu es si déterminé à trouver la femme idéale que tu risques de passer à côté de l'amour de ta vie. Tu sors avec quelqu'un ?

— A vrai dire, non. Quelques très jolies filles m'ont envoyé des signes d'encouragement, mais je n'ai pas donné suite.

— Et pourquoi ?

— Euh… Je ne sais pas trop, il faut que j'y réflé-
chisse.

— Je vais te dire pourquoi. C'est parce que tu es fou
de ton top model.

— Depuis quand tu t'es spécialisé en psychologie ?

Cependant, en son for intérieur, Ben était obligé de
reconnaître qu'Eddie n'avait pas tout à fait tort. Geena
occupait beaucoup ses pensées, et il avait pris la peine de
l'emmener à Simcoe faire ses examens. Surtout, il était bien
placé, en tant que médecin, pour savoir que les réactions
physiologiques qu'elle provoquait en lui ne pouvaient être
dues seulement à une attirance physique.

— Je suis forcé d'admettre que sa compagnie produit
sur moi un effet tonique.

Eddie se mit à rire.

— Fais plus ample connaissance avec elle. Tu seras
peut-être surpris par ses autres qualités.

A vrai dire, il avait déjà été agréablement surpris par
l'intérêt qu'elle avait manifesté à Tod et à certains autres
de ses patients.

— Je crois que je vais suivre ton conseil. J'ai l'impression qu'elle n'est pas aussi blasée qu'elle en a l'air. Bon,
Eddie, je ferais mieux de raccrocher, je suis en train de
te ruiner en téléphone…

— D'accord, je vais te quitter. Je dois voir un homme,
au sujet de l'âne. On se contacte la semaine prochaine,
Benny ?

— Eddie, attends…, reprit Ben précipitamment et sans
véritable raison.

— Oui ?

— Euh… rien. Bonne chance pour la fille enceinte.

Il s'arrêta. Même s'ils étaient très proches, ils avaient toujours eu du mal à exprimer leur affection mutuelle.

— Je t'aime, petit frère, ajouta-t-il brusquement.

Il y eut un silence au bout du fil, puis :

— Je t'aime aussi. A la semaine prochaine.

5.

— Depuis quand tu n'as pas mis le nez dans ta garde-robe et trié tes vêtements, Kelly ? s'enquit Geena, la voix étouffée par les habits, dans le dressing de sa sœur.

— Je ne le fais jamais. Je te réserve cette tâche, car je sais que tu y prends beaucoup de plaisir.

Kelly se jeta à plat ventre sur son lit, et vit un chemisier fuchsia qu'elle adorait voler à travers la pièce avant d'atterrir sur la moquette.

— Hé, je le garde, celui-là !

Erin, qui était plongée dans la lecture de *Vogue*, leva les yeux.

— Laisse tomber, Kel. Une fois que Geena est partie, on ne peut plus l'arrêter.

Geena sortit la tête du dressing, rejetant en arrière ses boucles auburn qui lui masquaient la vue.

— Les poignets sont tout râpés. C'est très mauvais pour ton image. Les clients vont se poser des questions sur ton goût et sur tes compétences.

— Mais j'aime beaucoup la couleur ! protesta Kelly, en ramassant le chemisier. Je reconnais que les poignets sont élimés et qu'il est démodé, mais je me sens bien dedans.

— Tu sais à quoi servent les magasins, Kel ? demanda Erin. A acheter des vêtements neufs. Je n'ai pas raison, Geena ?

— Les boutiques de vêtements sont nos cours de récréation, à nous les filles, quand nous devenons adultes, déclara Geena.

Elle prit la blouse des mains de Kelly, d'une main douce mais ferme, et la jeta sur les effets qu'elle avait déjà mis au rebut.

— Et si on allait toutes les trois à Seattle ? proposa Geena. On pourrait faire les boutiques, dîner au restaurant, puis passer au Nightmoves en fin de soirée. Ce serait bien, une petite sortie ensemble. Je n'ai pas fait une seule fois la fête depuis que j'ai quitté Milan, et je meurs d'envie de m'amuser un peu.

— Désolée, mais ce sera sans moi, dit Erin en jetant un regard vers son bébé endormi près d'elle. Je continue d'allaiter Erik, et je ne peux pas m'absenter aussi longtemps.

— Et toi, Kel ? Tu n'aimerais pas une petite soirée en ville ?

La bouche de Kelly se tordit en une sorte de rictus.

— Une autre virée sans Max ? Je ne crois pas que ce soit possible. Je sais qu'il m'en veut encore d'être partie aux Seychelles avec toi, après le mariage d'Erin.

Geena alla s'asseoir sur un coin du lit.

— Les choses ne vont pas très bien entre vous, n'est-ce pas ? Vous avez essayé de voir un conseiller conjugal ?

Kelly fixa l'oreiller en triturant ses doigts, et secoua la tête.

— Max refuse. Il n'a pas envie de raconter ses problèmes à des étrangers.

90

— Si seulement nous pouvions faire quelque chose pour t'aider, dit Erin en posant son magazine.

Kelly renifla, sourit et se leva.

— Ne vous faites pas de souci pour Max et moi, ça va s'arranger. J'ai une demi-journée libre la semaine prochaine, Geena. J'aimerais faire les magasins avec toi si tu es libre. Tu pourras m'aider à choisir un chemisier neuf.

— D'accord. Pour ce qui est de ce soir, je crois que je vais appeler Ronnie. Il ne refuse jamais une sortie en discothèque.

Geena retourna vers le placard, et en sortit une série de jupes sur des cintres qu'elle montra à Kelly.

— Dis-moi lesquelles tu n'as pas portées depuis un an.

— Je n'en ai porté aucune, répondit Kelly avec une grimace.

— Ronnie, hein ? demanda Erin en échangeant un petit sourire avec Kelly. Geena, tu n'es pas en train d'essayer de rendre jaloux un certain docteur ?

— Au cas où vous ne seriez pas au courant, Ronnie est homosexuel, répondit Geena, tout en décrochant les jupes des cintres pour les mettre au rebut.

Elle jeta un regard à ses sœurs.

— Vous pensez que, si je sortais avec un autre homme, Ben serait jaloux ?

— Il est plein de vigueur, hétérosexuel et célibataire. Comment voudrais-tu qu'il ne soit pas jaloux ?

Kelly se releva et commença tranquillement à replacer ses jupes sur leurs cintres.

— Tu devrais demander à Ben de sortir avec toi ce soir.

— C'est ce que j'ai fait. Mais il est allergique à la musique techno, et il m'a invitée à dîner avec lui à la Steakerie.

Erin et Kelly la dévisagèrent.

— Et pour quelle raison as-tu refusé ? demanda Erin.

Geena eut un roulement d'yeux significatif.

— Des hamburgers, des frites... du gras. Dois-je en rajouter ?

— Geena ! s'écrièrent Kelly et Erin d'une même voix. S'il y en a une qui peut se permettre d'avaler quelques grammes de matière grasse, c'est bien toi !

— Pour l'amour du ciel, reprit Erin, tu ne sais donc pas que le véritable amour exige des sacrifices ?

Geena leva les mains pour repousser l'attaque.

— Il ne s'agit que d'un petit contretemps. Nous ne sommes pas encore sur la même longueur d'ondes, tous les deux.

— Je me demande bien comment vous pourriez l'être. Lui, c'est un médecin qui consacre sa vie à la guérison de ses semblables, et toi tu es un mannequin dont le seul centre d'intérêt est le monde de la mode.

Ce que disait Kelly était vrai, elle ne pouvait le nier. Cependant, une force venue du fond d'elle-même la poussa à rejeter ces affirmations.

— On ne peut pas définir les gens uniquement par leur profession, déclara-t-elle. Il n'y a pas que ça qui compte, dans la vie.

En ce qui la concernait, il lui faudrait simplement découvrir quels étaient ses autres centres d'intérêt.

— En parlant de mode..., reprit-elle. Vous savez, je vais aider Greta Vogler à organiser un défilé. Il nous faut des mannequins.

— Oh non ! s'écria Erin en riant. Je viens d'avoir un bébé.

— Et moi, j'en ai quatre, dit Kelly.

— Vous êtes toutes les deux superbes. Allez, ne m'obligez pas à vous supplier…

— Bon, d'accord. Si Kelly accepte.

— Je suis trop petite.

— On est à Hainesville, pas à New York.

— D'accord, d'accord.

— Vous prenez des adolescentes ? Je suis certaine que Miranda adorerait participer.

— Excellente idée, dit Geena. Hé, où vas-tu avec ces jupes ? ajouta-t-elle en s'adressant à Kelly.

En effet, Kelly essayait de glisser en catimini les jupes à l'autre bout du dressing.

— Tu es trop dure, Gee. Le chemisier était usé, mais je ne peux pas jeter des vêtements en bon état, uniquement parce que je ne les porte jamais. Tu verras, le jour où tu auras des enfants et que tu devras limiter tes dépenses !

Le cri d'un bébé en pleurs attira soudain l'attention des trois sœurs.

— Bonjour mon petit chou, chantonna Geena en prenant Erik dans ses bras, avant de le passer à Erin.

— Pile à l'heure, dit Erin en jetant un coup d'œil sur sa montre. Toutes les trois heures, il a faim. Je suis sûre qu'on pourrait régler un réveil sur lui.

— A propos d'heure, je ferais mieux de me sauver si je veux aller à Seattle, dit Geena.

Elle embrassa Kelly, et caressa d'un geste affectueux les longs cheveux blonds d'Erin.

— A plus tard.

— Prends soin de toi.

— Amuse-toi bien, ce soir.

— Merci. Kelly, ce tas de vêtements doit partir directement au Secours populaire. Surveille-la, Erin !

Comme elle se dirigeait vers la porte, Geena entendit Erin qui avertissait sa sœur, et elle quitta la maison en riant.

Geena ne riait pas du tout quand elle rentra en se traînant, aux premières heures du dimanche matin. Ses poumons lui faisaient mal à force d'avoir respiré la fumée, ses oreilles résonnaient encore de la musique assourdissante, et elle avait un mal de tête épouvantable.

Elle s'affala sur son lit, et sa dernière pensée avant de s'endormir fut qu'elle devait être malade, car c'était la première fois qu'elle ne s'était pas amusée en faisant la fête.

Gran était debout devant la cuisinière, en train de remuer quelque chose dans une poêle, lorsque Geena se glissa dans la cuisine quelques heures plus tard, vêtue d'une robe de chambre en satin. Gran l'examina par-dessus ses grandes lunettes bleues.

— Tu es rentrée très tard, j'ai l'impression. Tu as trop bu ?

Geena alla se servir un verre d'eau et avala deux comprimés d'aspirine.

— Je n'ai ni bu, ni fumé, ni quoi que ce soit d'autre. Je n'en avais pas envie, c'est tout. En fait, rien que d'y penser, cela me donnait la nausée.

— Quand j'ai eu ma crise cardiaque, l'année dernière, j'ai appris que je l'avais échappé belle, et je me suis juré de prendre soin de moi, dit Gran. C'est peut-être ton corps qui t'avertit de ne plus faire d'abus.

94

Elle apporta une assiette d'œufs brouillés avec des saucisses, la posa sur la table où attendaient déjà des toasts beurrés et une salade de fruits frais.

— Viens manger.

— Oh, Gran, tu n'aurais pas dû te donner tout ce mal… Tu sais bien que je ne prends pas de petit déjeuner.

— A partir de maintenant, si, dit Gran avec fermeté. Le Dr Matthews est passé hier pour me donner le régime que la nutritionniste t'a recommandé. Apparemment, ton analyse de sang a montré que tu manquais de protéines et de graisses, ainsi que de certains minéraux. Il m'a dit de veiller à ce que tu suives les conseils de la nutritionniste. Il a l'air de penser que tu pourrais facilement l'oublier, si on te laissait faire.

— Je ne suis pas une enfant, marmonna Geena.

— Alors, commence à te comporter en adulte, et mange.

Geena essaya, pour faire plaisir à sa grand-mère. Elle mangea quelques bouchées d'œuf, le quart d'un toast, et une petite coupelle de salade de fruits, puis, incapable d'avaler une miette de plus, elle repoussa son assiette.

— Désolée, Gran. Je ne peux plus rien avaler.

Gran secoua la tête d'un air navré.

— Qu'est-ce que je vais faire de toi, ma fille ?

Geena sourit.

— J'espère que tu ne vas pas m'envoyer au lit sans dîner, comme quand j'étais petite.

Deux rides se creusèrent entre les sourcils de Gran.

— Je faisais ça ?

— Seulement les fois où je devenais trop insupportable et que je refusais de m'arrêter, même lorsque tu menaçais d'appeler grand-père.

— Tu pouvais être très agitée. Tu voulais faire comme tes grandes sœurs, et tu étais prête à faire n'importe quelle bêtise pour attirer notre attention.

Son visage prit une expression douloureuse.

— Oh, Geena, c'est ma faute si tu es si maigre aujourd'hui, et…

— Arrête, Gran, dit Geena, navrée d'avoir soulevé ce sujet.

Elle se leva et serra sa grand-mère dans ses bras.

— Tu n'y es pour rien, si j'ai des problèmes de nutrition.

Elle s'interrompit, et fit quelques pas dans la cuisine.

— En fait, ce n'est pas vrai, je n'ai aucun problème de nutrition. Je surveille mon poids, tout simplement. Cela n'a rien d'anormal : j'y suis obligée, étant donné mon métier.

— Ne t'en fais pas, ma chérie, dit Gran. Tu verras, tout finira par s'arranger. A présent, je vais aller à l'église. Est-ce que tu aimerais m'accompagner ?

— Oui, pourquoi pas ?

Elle n'avait jamais été spécialement attirée par la religion, mais elle aurait aimé savoir si elle pourrait, un jour, revivre ce sentiment de joie intense qu'elle avait éprouvé en présence de la lumière. Beaucoup d'hommes et de femmes se tournaient vers l'église en quête de réponses. Peut-être y trouverait-elle, elle aussi, une aide spirituelle.

Une heure plus tard, Geena était assise sur un banc dans l'église. Le contact du bois ciré lui parut à la fois dur et agréablement frais. A travers les vitraux, la lumière jetait des reflets colorés sur la chorale et sur le surplis en lin blanc du pasteur. Elle chanta des cantiques qu'elle avait appris dans son enfance, écouta attentivement le sermon, et accomplit tous les gestes rituels. Certes, la nostalgie des années passées lui apportait un certain réconfort, mais elle savait bien qu'elle ne trouverait pas de réponses à sa quête spirituelle dans ce lieu, pas plus qu'elle n'en avait trouvé autrefois.

Les derniers accents du cantique final s'éteignirent, et les fidèles se levèrent pour quitter l'église. Elle se pencha alors vers Gran et lui murmura : « Je dois y aller. » Elle se glissa hors du banc et se hâta le long de la nef, impatiente de retrouver l'air pur et le soleil.

En arrivant sur les marches, elle s'arrêta une seconde pour respirer, heureuse de retrouver la lumière, les arbres, les fleurs. Les yeux embués par l'émotion, elle remercia Dieu pour la beauté de la nature. Elle entendit des voix derrière elle mais évita de se retourner, de peur d'être obligée de s'attarder, et dévala les marches, puis s'éloigna rapidement le long du trottoir. Elle ne s'arrêta qu'une fois arrivée près de la petite passerelle de bois qui enjambait la rivière du parc. Empruntant le sentier qui longeait la berge, elle ralentit le pas, ôta ses chaussures et son collant pour mieux sentir le contact de la terre humide sous ses pieds nus.

Le rythme désordonné de son cœur se calma, et lorsque s'apaisa aussi le battement violent qui lui martelait les oreilles, elle entendit le doux pépiement des oiseaux dans les branchages et les bruissements d'un petit animal qui parcourait les sous-bois.

Elle arriva dans une petite clairière baignée de soleil, et se laissa tomber sur un rondin moussu. Elle demeura là, les yeux fermés, envahie peu à peu par une sorte d'extase, heureuse de sentir la chaleur du soleil sur son visage, de respirer les senteurs élémentaires de la végétation, de l'eau et de la terre. Elle avait perdu la notion du temps ;

les minutes, les secondes n'avaient plus aucun sens. Au cœur de cette nature, elle avait le sentiment d'avoir atteint la lumière, de baigner dans une paix, une sérénité que son âme n'avait jamais connues.

Un léger bruit, un déplacement d'air, quelque chose d'indéfinissable la réveilla au plus profond de son subconscient et la fit revenir à la surface. Elle inspira profondément et ouvrit les yeux. Elle aperçut Ben qui courait le long du sentier. En arrivant dans la clairière, il la vit, et s'immobilisa brusquement.

Pour Ben, cette matinée avait commencé comme tous les dimanches. Il était sorti du lit, avait enfilé un short et un T-shirt pour aller courir dans le parc. La journée s'annonçait superbe. Le ciel était d'un bleu intense, comme souvent à la fin de l'été, et l'air était doux et chaud. Il avait parcouru la berge de la rivière jusqu'au parc, puis avait fait demi-tour et repris le chemin en sens inverse.

Une fois rentré chez lui, il fit quelques exercices, prit une douche, s'habilla, gagna la cuisine et alluma la radio pendant qu'il préparait son petit déjeuner. L'arôme du café fraîchement moulu lui chatouilla les narines, lui rappelant les plantations de café du Guatemala. C'est alors qu'il entendit le mot « Guatemala » prononcé par le journaliste qui donnait les informations.

Il posa la bouilloire et monta le volume, supposant qu'il s'agissait d'un reportage sur les récentes élections qui s'étaient déroulées dans le pays. Mais, de plus en plus atterré à mesure que l'information lui parvenait, il apprit qu'un tremblement de terre avait ravagé les îles au nord du pays.

« 6,3 sur l'échelle de Richter. L'épicentre se situe près de Quezaltenango, dans un petit village maya, déjà touché par les fortes pluies et les inondations. On dénombre des centaines de morts et des milliers de disparus, alors que des répliques du séisme, un des plus graves que la région ait connus, continuent de secouer la zone. »

La cuillère que Ben tenait s'échappa de ses mains et tomba bruyamment sur le sol.

Le téléphone sonna et il bondit, décrochant d'une main tremblante.

— Allô ? dit-il d'une voix rauque qui ne semblait plus lui appartenir.

— Ben, il y a eu un tremblement de terre…

C'était la voix de sa mère, rendue tremblante par l'émotion et les larmes.

Ben s'essuya le visage, n'osant imaginer l'angoisse et la souffrance qu'elle devait endurer.

— Je viens d'entendre la nouvelle à la radio. Est-ce que tu as des nouvelles d'Eddie ?

— J'espérais qu'il t'avait appelé, dit-elle en sanglotant.

— Maman, essaie de ne pas t'angoisser. Nous ne savons encore rien de précis.

— Le village est à l'épicentre. Comment veux-tu que je ne m'inquiète pas ?

— Eddie est comme les chats, il a neuf vies, dit Ben. Tu sais bien qu'il se débrouille toujours pour retomber sur ses pattes. Tu te rappelles, la fois où nous l'avons cru perdu au fond d'une grotte ? Il s'en est bien sorti, n'est-ce pas ?

Il s'efforçait de parler avec assurance, mais la petite boule de peur qui lui taraudait l'estomac donnait à sa voix un léger tremblement.

— Là, c'est totalement différent, objecta sa mère.

Effectivement. Il ne pouvait pas dire le contraire.

— Est-ce que papa est avec toi ?

— Il est allé en ville, ce matin de bonne heure. A moins qu'il n'ait écouté la radio en voiture, il n'est pas encore au courant. Oh, Ben ! dit-elle en étouffant un nouveau sanglot.

— Je vais appeler Médicos International et essayer d'obtenir des renseignements. Si ça se trouve, il est sain et sauf, en train de passer un week-end de folie à Guatemala City.

Il tenta d'esquisser un rire, mais ne réussit qu'à émettre un son grinçant.

— Je te rappelle dès que je sais quelque chose. Je t'embrasse, maman.

Il raccrocha et composa le numéro de Médicos International à Guatemala City, tout en sachant que leur bureau serait fermé puisqu'on était dimanche. En écoutant la sonnerie à l'autre bout du fil, il jeta un coup d'œil sur le calendrier. On était le 5 septembre.

Il n'insista pas et appela les renseignements internationaux pour demander le numéro du poste de police de Quezaltenango. Mais les lignes téléphoniques étaient toutes en dérangement, et il ne put rien obtenir. Il essaya de joindre l'hôpital et d'autres organismes officiels à Guatemala City, mais personne n'avait aucune nouvelle du Dr Edward Matthews. La région se trouvait plongée dans le chaos et dans la confusion la plus totale.

Complètement hébété, ne sachant plus vers quoi se tourner, il alluma CNN. Le spectacle des maisons effondrées et des corps gisant dans les décombres le bouleversa. La caméra montra des images du fleuve démonté, avec des cadavres d'animaux et des débris de constructions emportés par le courant. Il avait la gorge serrée en contemplant les malheurs des villageois. Combien de ceux qu'il avait connus et aimés étaient morts, à présent ?

Tout en sachant que ce n'était pas logique, il se sentait coupable d'avoir échappé à ce désastre. De quel droit était-il encore vivant, alors qu'un si grand nombre d'entre eux étaient morts ou blessés ?

Il pensa à Eddie… et son sentiment de culpabilité s'accentua. Eddie se trouvait au Guatemala uniquement par sa faute. Il l'avait encouragé à poser sa candidature auprès de l'organisme, il avait recommandé son frère. Il se cacha alors le visage dans les mains. Mon Dieu, qu'avait-il fait ?

Incapable de rester assis chez lui une seconde de plus, il sortit, et se mit à courir le long du sentier qui longeait la rivière. Indifférent au bleu du ciel et à la douceur de l'air, il courait, sans pouvoir s'arrêter, comme pour fuir son inquiétude mortelle et les images du tremblement de terre qui s'emmêlaient dans sa tête. Il lui semblait impossible qu'Eddie ait pu s'en tirer vivant, et cependant son esprit refusait toute autre alternative. Il se sentait prisonnier d'une incertitude, l'esprit totalement vide, incapable de chagrin ou d'espoir.

Il passa un virage et aperçut Geena, assise sur un tronc couvert de mousse, au beau milieu de la clairière. Sa mince silhouette, vêtue d'une robe vert pâle et ses cheveux auburn auréolés de lumière lui donnaient l'apparence d'une créature à la fois surnaturelle et terrestre. Elle avait quelque chose d'une nymphe des bois, dans un décor hors du temps.

Dans l'état d'agitation où il se trouvait, Ben aurait souhaité continuer son chemin sans être vu. Le coup de téléphone de sa mère et les efforts qu'il avait fait pour tenter de la rassurer lui avaient noué l'estomac et ôté toute capacité d'entrer en contact avec les autres. L'espace d'une demi-seconde, il aurait pu faire un signe de tête et poursuivre sa course, mais elle leva les yeux, et il s'arrêta brutalement en trébuchant.

En l'apercevant, elle marqua sa surprise d'une manière presque imperceptible, par un simple battement de paupière. Le bleu profond de son iris lui parut aussi beau que le ciel. Un courant mystérieux passa entre eux, elle lui sourit, et Ben sentit ses membres relâcher leur tension. Alors, il marcha vers elle.

6.

S'asseyant auprès d'elle, il essaya d'engager la conversation.

— Je n'aurais jamais cru que vous étiez une amoureuse de la nature.

— Cela a été une surprise pour moi aussi.

Elle pencha la tête, et l'examina en fronçant les sourcils.

— Tout va bien ? demanda-t-elle.

— Oui, très bien.

Il s'aperçut alors qu'il était penché en avant, les coudes appuyés sur les genoux, en train de se tordre les mains. Il s'obligea à se détendre, s'efforçant d'éliminer la tension qui creusait des rides sur son front.

Elle l'observait, comme si elle attendait qu'il parle.

Il expira fortement par la bouche.

— D'accord, je ne vais pas bien. Avez-vous entendu les informations, ce matin ? Il y a eu un tremblement de terre au Guatemala... Le village où je vivais et travaillais était à l'épicentre.

— Oh, je suis désolée ! Je suppose que certains de ceux que vous connaissiez ont été blessés, ou morts. Mais attendez... Votre frère ! ajouta-t-elle en pressant ses doigts sur ses lèvres.

— Oui… Eddie.

La voix de Ben se brisa, et il lui fallut quelques secondes avant de poursuivre.

— Je n'ai pas pu entrer en contact avec lui.

Il tendit les mains, incapable d'aller plus loin.

Elle lui toucha le bras, et ses doigts blancs, effilés, contrastèrent avec la peau hâlée de Ben. Ce contact le troubla légèrement. Il était partagé entre le refus et le désir d'oublier un instant son angoisse.

— Il va probablement bien, dit-il. On a déjà du mal à joindre ces coins perdus, en temps normal. Je suis certain que j'aurai de bonnes nouvelles d'ici un ou deux jours. Il doit être tellement occupé à secourir les autres qu'il ne s'est pas fait recenser.

— Je suis sûre que vous avez raison.

— Je lui ai parlé il y a à peine deux jours, dit Ben, les yeux fixés sur la rivière. Au moment de raccrocher, je n'avais pas envie de lui dire au revoir, comme si quelque chose me retenait.

— Vous aviez une prémonition ?

— Oh, je n'en sais rien.

Il grattait machinalement la mousse du tronc pour l'émietter entre ses doigts. Il éprouvait un besoin très fort de parler de son frère, et la présence apaisante de Geena l'encouragea à se confier.

— Je n'en ai jamais parlé à personne, mais c'est à cause d'Eddie que je suis devenu médecin.

— Vraiment ? Et pourquoi ?

— Quand j'avais douze ans et Eddie six ans, il y a eu une épidémie de méningite. Eddie est tombé gravement malade. Nous pensions tous qu'il ne s'en sortirait pas. Un garçon que nous connaissions était mort. J'avais une peur horrible, et je me sentais si impuissant devant la maladie qui pouvait emporter mon petit frère...

— Que s'est-il passé ? demanda Geena. De toute évidence, il a survécu.

— Notre médecin de famille a reconnu les symptômes, et l'a envoyé immédiatement à l'hôpital. On lui a administré des doses massives d'antibiotiques et on l'a sauvé d'extrême justesse. Pour moi, sa guérison n'était rien moins qu'un miracle. Et c'est là que j'ai pris la décision de devenir médecin et d'accomplir des miracles. J'ai fait aussi le serment de prendre soin de mon frère, et de le protéger contre tout ce qui pourrait lui faire du mal. Je crois que j'ai plutôt mal assuré sur ce dernier point.

— Ben ! s'écria Geena en lui prenant les mains. Vous n'y êtes pour rien, si Eddie a été pris dans un tremblement de terre. Ce n'est pas votre faute !

— Je comprends ça, dit-il en évitant son regard. J'aimerais simplement pouvoir m'en convaincre.

— Vous savez, Ben..., commença Geena d'une voix hésitante. La mort n'est pas la fin de tout.

Il la dévisagea sans comprendre.

— Que voulez-vous dire ?

— Qu'il y a une vie après la mort. Je l'ai vue.

— Geena, dit-il, horrifié à l'idée qu'elle veuille reparler de son expérience. Je vous ai expliqué tout ça.

Elle soupira.

— N'en parlons plus, alors.

Elle se leva soudain et le tira pour le remettre sur ses pieds.

— Venez avec moi.

— Où m'emmenez-vous ?

— Vous verrez.

Elle l'entraîna le long du sentier, jusqu'à une minuscule crique, où le courant avait créé une petite mare fermée en érodant la rive. Ils virent une famille de colverts, la mère, le père et quatre canetons, en train de barboter et de s'amuser au milieu des racines dénudées. Les petits étaient déjà presque aussi grands que leurs parents, et n'allaient pas tarder à devenir adultes. Quand ils aperçurent Geena et Ben, ils nagèrent jusqu'à la rive en faisant « coin ! coin ! », les bébés se débrouillant aussi bien que leurs parents.

— Vous avez vu les petits ? demanda-t-elle. Ils se collent à leurs parents, mais si vous les voyiez tout seuls, vous penseriez qu'ils sont adultes, n'est-ce pas ?

Ben acquiesça devant cette comparaison toute simple.

— Eddie a vingt-neuf ans. Je crois qu'on peut dire qu'il est adulte.

— Moi aussi, j'ai vingt-neuf ans, reprit Geena en souriant. Je suis adulte. Donc, il l'est lui aussi, et responsable.

— Peut-être bien.

Ben sourit, ravi de lui retourner sa leçon sans en diminuer la valeur.

— Cependant, nous avons clairement établi que, vous, vous avez besoin qu'on s'occupe de vous.

Elle lui donna une tape avec une brindille.

— Mais ça, c'est vous qui le dites ! Et nous avons déjà clairement établi que vous avez tendance à materner votre petit frère.

C'était incroyable, mais Ben arrivait à rire. Elle l'avait littéralement conquis.

Ils suivirent la piste qui longeait la rivière.

— Et comment s'est passée votre soirée en ville ? lui demanda Ben.

— Oh, ma soirée…, répondit-elle, comme si elle parlait d'un événement très lointain. C'était super.

Puis elle secoua la tête.

— Mais qu'est-ce que je raconte ? C'était horrible. La musique m'a donné la migraine et la fumée m'a fait mal aux poumons. Je me sentais… décalée, pas dans le coup. Tout ceci est bien mieux, ajouta-t-elle en regardant autour d'elle.

— Là, je suis d'accord avec vous.

— Je ne me reconnais plus, dit-elle en soupirant.

— Et vous le regrettez ?

— Oui. Non. Je ne sais plus.

Elle paraissait si désemparée que, spontanément, sans réfléchir, il la prit par les épaules. Elle posa sur lui son regard lumineux où brillait une sorte de reconnaissance. Ce geste et ce regard n'avaient rien d'ambigu ; ce n'était pas un banal flirt, mais l'éclosion d'un sentiment nouveau, fait de complicité et d'affection. En d'autres circonstances, il l'aurait embrassée, car il n'avait pas cessé de fantasmer sur ce premier baiser, et cela pendant des nuits. Mais l'angoisse qu'il ressentait depuis le matin donnait à ses émotions une tonalité différente. Leur premier baiser ne devait pas avoir la couleur du chagrin.

Ils arrivèrent enfin devant la maison de Ben.

— Vous voulez que je reste un peu avec vous ? proposa Geena.

En un sens, il n'aurait pas demandé mieux.

— J'ai quelques coups de fil à donner… J'ai été content de vous voir, ajouta-t-il après une légère hésitation. Je n'aurais voulu rencontrer personne d'autre que vous aujourd'hui.

Elle fit un signe de tête, puis lui prit la main et la serra. Ben eut soudain envie de la prendre dans ses bras, de la serrer contre lui, et il l'aurait fait s'il n'avait pas eu peur de craquer et de fondre en larmes.

— Je vous appelle, reprit-il. Pour vous parler de Tod. Carrie a proposé mercredi ou jeudi de la semaine prochaine.

— N'importe quel jour fera l'affaire, dit-elle avec un pâle sourire, avant de s'éloigner. Ciao.

Geena contemplait les visages animés des aides-soignantes, réunies autour de la table de conférence. Elles avaient accepté avec joie de remplacer leur soirée loto par un défilé de mode, contrairement à ce qu'avait prédit Greta. Elles s'étaient partagé le travail, en créant des sous-comités chargés de l'ambiance musicale, des fleurs et des rafraîchissements. Les modèles de la collection d'hiver seraient fournis par deux boutiques de mode, Candy et Briony. Geena, quant à elle, serait chargée de prendre soin des vêtements prêtés et jouerait le rôle d'expert-conseil.

— Très bien, mesdames, dit-elle. Qui, parmi vous, se voit sur le podium ? Nous avons suffisamment de jeunes femmes et d'adolescentes, mais il nous faut aussi des femmes plus mûres.

Un silence effaré accueillit ses paroles.

— Allons, nous avons baptisé notre défilé : « Une vraie mode pour des vraies femmes ». On ne vous demande donc pas d'être un mannequin professionnel, ni d'avoir une silhouette parfaite pour participer.

Mabel Gribble abattit son maillet de présidente, comme elle aimait le faire à la moindre occasion.

— Si aucune d'entre vous ne veut se porter volontaire, moi, je m'inscris, Geena. J'étais connue pour mes belles jambes, dans ma jeunesse.

Elle lança un regard menaçant autour de la table, comme pour prévenir toute contradiction.

— Excellent, dit Geena en écrivant le nom de Mabel à l'encre violette.

Doreen leva timidement la main, avec un petit rire nerveux.

— Moi, je veux bien, si vous pensez que je peux faire l'affaire. J'ai l'intention de perdre cinq kilos pendant les deux semaines qui viennent.

— Vous serez magnifique, Doreen. Ne vous en faites pas pour votre poids. Nous trouverons de beaux vêtements qui vous iront très bien. Alors, qui d'autre ?

Elle les regarda tour à tour, avec un sourire encourageant, mais personne ne se décida à parler.

— Greta, et vous ?

Son ancien professeur parut interloquée.

— Moi ? Certainement pas ! Ce n'est pas du tout mon genre de présenter des vêtements.

Geena n'insista pas et passa à d'autres femmes. En les poussant un peu, elle obtint l'accord de sept autres membres, et l'excitation qui s'ensuivit obligea Mabel à frapper la table de son maillet à plusieurs reprises.

— Mesdames ! Nous devons fixer une date. Que pensez-vous du 10 octobre ? Cela nous laisse un bon mois pour nous préparer.

— C'est le jour prévu pour la réunion du lycée, dit Greta.

Mabel consulta son calendrier.

— Dans ce cas, nous pourrions avancer la date d'une semaine, le 3.

— Nous ne serons jamais prêtes à temps, objecta Rachel Bigelow, qui travaillait chez la fleuriste.

— Elle a raison, approuva Geena. Pourquoi pas la semaine suivante, le 17 ?

— Aucune objection ? demanda Mabel en faisant le tour de la table.

Comme personne ne se manifestait, elle donna un nouveau coup de maillet.

— Nous disons donc le 17. Je vous remercie, mesdames, et bon après-midi.

Geena leva la main.

— Excusez-moi.

— Oui ? dit Mabel en tenant son maillet suspendu au-dessus de la table.

Geena se mit debout, afin que tout le monde puisse la voir.

— Je suppose que vous avez entendu parler du tremblement de terre au Guatemala. Beaucoup de gens ont perdu leur maison, d'autres ont besoin de nourriture et de médicaments. Je voudrais proposer que, lors de la prochaine collecte de fonds, nous donnions une partie de l'argent récolté à une organisation de soutien aux sinistrés du Guatemala.

— C'est une idée magnifique et très généreuse, dit Mabel. Mais nous n'avons rien de prévu avant le printemps, et cela me paraît un peu tard pour une aide d'urgence.

— Oh, je vois...

Geena se rassit, en se disant qu'elle ferait un chèque plus important à l'intention de l'organisation.

— Oh, je sais ! s'exclama Doreen en se levant d'un bond. Pourquoi est-ce que nous ne donnerions pas l'argent du défilé de mode à l'aide au Guatemala ? Ensuite, nous pourrions consacrer notre collecte de fonds du printemps à

110

la nouvelle maternité. Désolée, Greta, ajouta-t-elle devant le regard scandalisé de cette dernière.

— La situation au Guatemala est tragique, je suis d'accord, dit Greta. Mais nous devons nous occuper de nos propres concitoyens. Nous ne connaissons même pas ces gens-là.

— Le Dr Matthews les connaît, répliqua Geena. Son frère est porté disparu, là-bas.

— Oh, alors, nous devons apporter notre aide, dit Martha Haines, suscitant des murmures d'approbation. Après tout, il y a déjà un bon service de maternité à Simcoe.

Greta fixa Geena d'un œil glacial.

— Ce n'est pas parce que vous avez jeté votre dévolu sur un homme qu'on doit mettre la ville sens dessus dessous pour lui.

— Jeté mon dévolu ! s'écria Geena, indignée. Qui vous a mis cette idée ridicule dans la tête ?

Il s'ensuivit un débat houleux et confus, les unes voulant savoir si Geena s'était mis en tête de séduire le docteur, les autres se demandant s'il était l'homme qu'il lui fallait.

Mabel donna quelques coups de maillet.

— Pouvons-nous attendre la fin de la réunion pour discuter de la vie sentimentale de Geena ? Le frère du Dr Matthews se trouvait dans l'épicentre du séisme. En témoignage de soutien à notre médecin, je propose que nous suivions l'idée de Geena, et que nous donnions le montant de la recette du défilé à l'équipe médicale où Ben et son frère ont travaillé. Comment s'appelle-t-elle ?

— Médicos International, dit Geena. Mais je voudrais souligner que cela n'était pas vraiment mon idée. Même si je suis tout à fait d'accord.

Martha Haines leva la main.

— Je vote pour.

— Celles qui sont pour, levez la main, demanda Mabel, en jetant un regard autour de la table. Et celles qui sont contre ?

D'autres mains se levèrent.

— Six pour, et six contre, annonça Mable. En ma qualité de présidente, je dois trancher. Le Dr Matthews m'a prescrit un nouveau médicament qui a fait des merveilles pour mon ulcère. Je vote oui !

— Je suis désolée, dit Geena à Greta, alors qu'elles quittaient la salle après la réunion. Je n'avais pas prémédité tout ça.

La bouche de Greta se tordit dans une grimace acerbe.

— Vous, les filles Hanson ! Vous n'arrêtez pas de me mettre des bâtons dans les roues pour ma maternité. Vous m'en voulez, n'est-ce pas ?

— Non, sincèrement, répondit Geena, navrée.

Un an plus tôt, Erin avait contrecarré sans le vouloir le projet de Greta : obtenir des fonds municipaux pour la construction de la maternité. Mais à sa connaissance, Kelly n'avait jamais contrarié les plans de Greta.

Greta monta dans son break vert et claqua la portière.

— Je peux passer, comme convenu, pour prendre le manuel de préparation du bac que vous m'avez promis ?

Greta tourna vers elle un visage renfrogné, et Geena prit cela pour une réponse affirmative. Elle s'éloigna de la voiture en soupirant. Il lui semblait que, quoi qu'elle puisse faire, elle prenait toujours cette femme à rebrousse-poil. Elle jeta un regard résigné vers le ciel. « Je fais mon possible, maman. Mais elle est difficile ! »

Lorsque Carrie Wakefield lui ouvrit la porte, Geena se trouva devant une femme à la mine fatiguée, qui élevait toute seule un enfant gravement malade et un bébé, et qui n'avait pas assez de temps ni d'argent. Ses longs cheveux noirs étaient tout emmêlés, à force d'être tirés par le bébé larmoyant qu'elle tenait dans les bras.

— Bonjour, Geena. Entrez donc.

Elle s'effaça, et Geena aperçut un minuscule séjour jonché de jouets, et un sofa enfoui sous un tas de linge fraîchement lavé. Des boules de cristal colorées, pendues en guirlandes le long des fenêtres, dessinaient des arcs-en-ciel sur les murs.

— Merci. Bonjour tout le monde.

Geena fit des mamours au bébé, en le chatouillant sous le menton. Celui-ci sourit timidement et enfouit son petit visage dans le cou de sa mère.

— J'aime bien votre chemisier, il est très joli, dit-elle à Carrie.

— Merci. Ce petit bout de chou, c'est Billy. Il est enrhumé. Si vous voulez voir Tod, il est dans sa chambre. C'est la seconde porte à droite, dans le couloir. La chimio l'a rendu malade, et il n'a presque rien mangé de toute la semaine. J'ai été vraiment heureuse lorsque le Dr Matthews m'a dit que alliez venir le voir. Il est très déprimé.

— Je vais essayer de lui remonter le moral.

Geena n'était pas aussi confiante qu'elle voulait bien le paraître, en foulant la moquette élimée qui conduisait à la chambre de Tod. Elle n'avait jamais eu affaire à des malades atteints du cancer. Qu'allait-elle donc bien pouvoir dire à Tod, ou faire pour lui redonner un peu de joie ? Elle frappa à la porte, et une petite voix l'invita à entrer.

Tod était allongé sur son lit, son visage aux traits tirés éclairé par la lampe de chevet. Les rideaux étaient fermés, et l'huile aromatique qui brûlait dans une petite lampe ne parvenait pas à masquer l'odeur de renfermé qui régnait dans la chambre.

Geena dissimula ses émotions et arbora un sourire enjoué.

— Salut, Tod ! Alors, comment te sens-tu ?

— Qui vous êtes ? demanda-t-il d'une voix lasse.

— Tu ne te souviens pas de moi, au cabinet du Dr Matthews ? Je suis une amie du docteur. Il t'a envoyé un livre. Tu veux que j'ouvre les rideaux pour que tu puisses le voir ?

Tod haussa les épaules, visiblement peu intéressé par le livre, mais son visage s'était animé en entendant le nom de Ben.

— Le Dr Ben m'a montré un foie dans un bocal, quand j'étais à l'hôpital. Il m'a dit qu'il était là depuis des années.

Geena réprima un sourire.

— Il est gentil, n'est-ce pas ?

— Il va venir me voir ?

— Il a beaucoup de travail, tu sais, avec ses malades. Mais je suis certaine qu'il se fait une joie de te revoir à son cabinet.

Devant la déception qui se peignit sur le visage de Tod, Geena comprit que le petit garçon avait trouvé en Ben l'image du héros. Elle tira les rideaux et ouvrit la fenêtre pour aérer un peu la chambre. Des bruits d'enfants qui jouaient dehors parvinrent à leurs oreilles, et Geena eut peur que Tod, en entendant ces cris et ces rires, ne souffre de la comparaison entre leur vitalité et sa maladie.

Elle s'assit sur une chaise à côté du lit et regarda autour d'elle, en quête d'un sujet de conversation.

— Tu as entendu une bonne blague, ces temps-ci ?

Il réfléchit un moment.

— Tu sais ce que le sable a dit à la pluie ?

— Je donne ma langue au chat.

— « Arrête, sinon on va m'appeler boue ! » répondit-il avec un grand sourire.

— Elle est très bonne. Pourquoi les Indiens n'aiment-ils pas les arcs-en-ciel ?

— Je ne sais pas.

— Parce qu'ils ne peuvent pas chasser avec. C'est une pyramide ? demanda-t-elle en apercevant un petit objet de bois sur la table de nuit.

Tod acquiesça.

— Maman dit qu'elle a des pouvoirs de guérison, et puis ça sent moins mauvais que cette huile qu'elle fait brûler, cette arom… aroma…

— Aromathérapie, dit Geena en se penchant vers lui. J'aime beaucoup les huiles essentielles. Je ne sais pas si elles guérissent, mais elles ne peuvent pas faire de mal.

— Toi, tu sens bon, dit Tod, un peu à contrecœur.

— Ah, quand on veut sentir bon, il n'y a rien de mieux que les parfums français.

Ils demeurèrent silencieux. Tod l'observait sans ciller.

— Bien, dit-elle en sortant un livre de son fourre-tout. Si on regardait un peu ce que raconte ce livre ?

Geena rapprocha sa chaise du lit, afin que Tod puisse voir les images, et elle commença sa lecture. Elle se sentit très vite mal à l'aise, à mesure que les phrases défilaient. Elle n'y connaissait pas grand-chose, mais la description détaillée des effets de la chimiothérapie ne lui paraissait pas le meilleur moyen de réconforter un enfant malade. D'ailleurs, la mine de Tod s'assombrissait de plus en plus.

Elle continua tant bien que mal, en se disant que Ben devait savoir ce qu'il faisait.

— Tu veux voir ma sauterelle ?

Geena referma le livre avec soulagement.

— Bien sûr. Comment s'appelle-t-elle ?

— Arnie.

Tod se releva pour attraper une boîte à cigares sur sa table de chevet.

— Je suis en train de la dresser.

Il souleva avec précaution le couvercle de la boîte, et son petit visage pâle s'anima soudain.

— Allez, Arnie, sois gentille. Montre à Geena comme tu sais marcher sur le crayon.

Geena, fascinée, le regarda poser tout doucement Arnie sur la pointe d'un crayon non taillé. La sauterelle déplaça ses pattes avant, très légèrement, tandis que ses antennes frappaient l'air.

— C'est bien, Arnie, continue, lui dit Tod. Allez, maintenant, reviens vers moi, doucement...

La sauterelle sauta, mais au lieu de se déplacer vers Tod, elle bondit sur Geena. Celle-ci poussa un cri en agitant les bras pour chasser l'insecte, qui finit par se poser sur son épaule. En riant, elle l'enferma dans sa main et le remit à Tod.

— Tu veux qu'on recommence ? demanda l'enfant, désireux de renouveler l'expérience.

— Non, je crois qu'Arnie s'est assez amusée pour aujourd'hui. Tu as d'autres animaux ?

— Non, répondit-il en prenant tout à coup un petit air triste. Je voulais un chien, mais maman ne peut pas m'en acheter un, et même si elle pouvait, elle n'aurait pas le temps de s'en occuper, et moi je suis trop malade.

« Pauvre petit bonhomme », se dit Geena.

116

— Mais tu as ta sauterelle. Je veux bien la revoir faire son tour, finalement.

Tod, ravi, s'empressa de lui montrer de nouveau les exploits d'Arnie. Au bout d'un moment, Geena s'aperçut, en regardant vers la fenêtre, que le soleil avait déjà disparu.

— Je crois que je devrais y aller. C'est l'heure du repas, pour toi.

— Je n'ai pas faim.

— Il faut que tu manges, si tu veux que ton corps ait la force de se battre contre la maladie.

— Maman me donne des trucs dégoûtants, comme les choux de Bruxelles...

— Les choux de Bruxelles, c'est très bon pour toi. Le Dr Matthews dit que...

— Quoi ? Qu'est-ce qu'il dit, le Dr Ben ?

— Il dit que tu dois manger si tu veux être en bonne santé.

— Oh..., soupira Tod, visiblement déçu, en se laissant retomber sur ses oreillers.

Geena se demanda si Tod allait accepter sa proposition. Elle n'en était pas sûre, mais elle se lança.

— Tu aimes les hamburgers ?

— Oui.

— J'ai appris que le Dr Matthews dînait à la Steakerie tous les vendredis. Est-ce que tu te sens assez en forme pour y aller avec moi ? Je t'invite.

— Et comment !

— A condition, bien sûr, que ta maman soit d'accord.

— Elle dira pas non, assura Tod. Du moment qu'elle sait que je vais manger.

7.

Ben introduisit une pièce dans le petit juke-box, sélectionna Garth Brooks, puis se rassit pour attendre sa commande. Quatre adolescentes, installées non loin de lui, sirotaient des milk-shakes et lui faisaient de l'œil en riant chaque fois qu'il regardait de leur côté. Il sourit dans leur direction, puis jeta un regard vers la fenêtre derrière elles, et son cœur bondit dans sa poitrine. Geena se dirigeait vers l'entrée du restaurant, en compagnie de Tod.

Très absorbé par son travail et par ses efforts pour arriver à retrouver la trace de son frère, Ben n'avait pas vu Geena depuis le dimanche. Mais il n'avait cessé de penser à elle, au bleu de ses yeux extraordinaires, à la chaleur de son sourire, au mélange de fragilité et de force qui émanait d'elle. Il avait l'intention de passer la voir après le dîner, et voilà que c'était elle qui venait à la Steakerie. Il n'en croyait pas ses yeux.

En poussant la porte du restaurant, Geena avait la tête baissée et riait d'une réflexion de Tod. Puis son regard parcourut la salle et rencontra celui de Ben. Elle sourit, et le cœur de Ben se mit à palpiter. Il leur fit un signe de la main, et Geena et Tod se frayèrent un chemin dans le restaurant bondé, jusqu'au box où Ben s'était installé.

— Bonjour, dit-elle. On peut se joindre à vous ?

— Avec plaisir, répondit-il. Salut, Tod. Comment vas-tu, fiston ?

— Salut, docteur Ben. Je vais bien.

Le petit garçon se glissa sur le siège en face de lui, sans attendre Geena. Ben examina sa figure pâle que la joie illuminait, et félicita intérieurement Geena d'avoir eu l'idée d'offrir à Tod cette occasion de distraction.

Geena tendit la carte à l'enfant.

— Commande tout ce que tu voudras.

La serveuse apporta le hamburger de Ben accompagné d'oignons grillés, ainsi que son grand milk-shake au chocolat, un menu dont il ne se lasserait pas de si tôt, après deux années passées à se nourrir de riz et de haricots.

— J'ai un peu mal au cœur, dit Tod. Finalement, je crois pas que je vais manger.

— Je prendrai un Coca allégé, dit Geena à la jeune fille, qui venait de sortir son carnet et son crayon.

— Il faut que tu manges pour aider ton corps à guérir, expliqua Ben à l'intention de Tod, tout en souhaitant pouvoir dire la même chose à Geena.

— Elle mange pas, dit Tod.

Ben déballa son burger, libérant un fumet appétissant qui fit frémir les narines de Geena. Elle avait vraiment envie de manger, se dit Ben. Mais elle se retenait sous le prétexte absurde qu'elle était trop grosse. Il avait discuté avec la nutritionniste et, selon elle, Geena ne présentait pas les symptômes de l'anorexie ; elle se privait de nourriture pour des raisons professionnelles. La solution au problème parut évidente aux yeux de Ben : elle devait quitter sa profession. L'ennui, c'est que Geena ne serait pas d'accord.

— Je suis votre médecin, et je vous prescris de manger.

Elle éclata de rire, nullement impressionnée.

— Vous pouvez prescrire tout ce que vous voulez, rien ne m'oblige à vous obéir.

— Moi non plus, déclara Tod, marquant ainsi sa solidarité avec Geena.

Si elle avait le droit de se rebeller, il décida que lui aussi le pouvait.

Ben jeta un regard plein de reproche à Geena, et s'adressa à Tod sur un ton moins sévère.

— Tu as raison, je ne peux pas te forcer à manger. Mais en tant que médecin, je peux vous dire que toi et Geena avez besoin de vous nourrir un peu plus. D'autre part, je déteste manger tout seul. Vous me feriez donc un immense plaisir en vous joignant à moi.

Se voyant traité avec tout le respect dû à un adulte, Tod se radoucit.

— D'accord. Geena, si je mange, tu te joindras à moi ? demanda-t-il poliment, en parodiant Ben sans le faire exprès.

Ben considéra Geena en levant les sourcils, comme pour la mettre au défi de refuser.

Elle rit, et leva les mains en signe de reddition.

— D'accord, je vais manger. Tu es un petit bonhomme très convaincant. On ne peut rien te refuser, dit-elle à Tod.

Mais Ben eut l'impression flatteuse que ces paroles lui étaient destinées.

Ben se tourna vers la serveuse qui attendait toujours patiemment, son crayon posé sur le carnet.

— Deux hamburgers et deux milk-shakes, s'il vous plaît.

— Un Coca allégé, corrigea Geena.

— Je peux avoir un lait à la fraise ? demanda Tod.

120

Comme la serveuse s'en allait, Geena la rappela pour ajouter à sa commande une grande part d'oignons grillés.

— Vous avez lu le livre que j'ai envoyé ? demanda Ben.

Geena et Tod échangèrent un regard.

— Nous l'avons commencé, répondit Geena avec diplomatie. Vous l'avez lu ?

— Je l'ai parcouru.

Ben essayait de déchiffrer les messages qui passaient dans leurs yeux. Il comprenait vaguement que le livre n'avait pas eu l'impact qu'il en attendait. Il se réservait d'en parler plus tard.

— Avez-vous eu des nouvelles de votre frère ? demanda Geena.

Elle avait posé la question sur un ton léger, et il lui en sut gré, car en répondant : « Pas encore », il avait l'impression rassurante qu'Eddie était allé faire un tour en ville, et n'était pas encore revenu.

— J'ai montré ma sauterelle à Geena, dit Tod.

— Elle est très douée, ajouta Geena.

La conversation tourna autour des talents d'Arnie, jusqu'au moment où les assiettes de Geena et Tod arrivèrent sur la table.

A présent qu'il l'avait devant lui, Tod attaqua son steak haché avec appétit, alors que Geena fixait le sien comme si c'était lui qui allait la mordre, et non le contraire.

— Depuis quand n'en avez-vous pas mangé ? demanda Ben, qui avait fini le sien et convoitait ses oignons.

— Je crois que ça remonte au siècle dernier.

— Mangez, dit-il en prenant une rondelle d'oignon. Dépêchez-vous, avant qu'il n'en reste plus.

Le regard de Geena passa de Ben à Tod. Celui-ci l'encouragea d'une voix assourdie par la bouchée de viande qu'il mastiquait.

— C'est bon.

Elle déglutit, et Ben se dit qu'elle devait saliver. L'emballage tomba, et elle porta lentement le hamburger à la bouche. Elle en prit une bouchée, et ferma les yeux pour mieux savourer.

— Oh ! Que c'est bon !

Le couple qui occupait la table voisine se tourna pour la regarder.

— Vous prenez tellement plaisir à manger que je me demande pourquoi vous ne le faites pas plus souvent, murmura Ben.

— C'est une question de discipline. Tod, ça va ? Tu as moins mal au cœur ?

— Beaucoup moins, répondit-il sur un ton joyeux. C'est bien meilleur que les choux de Bruxelles. Merci de m'avoir invité ici.

Elle caressa tendrement la boucle blonde qui formait un épi sur sa tête.

— Je suis contente que tu aies pu venir.

— Tu veux choisir une chanson ? demanda Ben à Tod, en fouillant dans sa poche à la recherche de pièces.

Tod s'amusa à appuyer sur les boutons de l'appareil, mais Ben se dit qu'il avait dû faire une fausse manipulation, car la musique qu'il avait choisie était une ballade romantique.

— Beurk, dit Tod en jetant un regard mauvais sur le jukebox.

— Je trouve ça joli, répliqua Geena en souriant rêveusement à Ben, tandis qu'elle se balançait doucement au rythme de la musique.

« Apprends à la connaître », lui avait dit Eddie. Son frère avait sans doute raison. Ben pressentait qu'il avait beaucoup de choses à découvrir sur Geena Hanson, à commencer par ses qualités de cœur. L'attention qu'elle portait à un petit garçon malade lui paraissait sincère, et, à ses yeux, c'était un bon point pour elle.

Tod bâilla en repoussant son assiette.

— Je suis fatigué.

— Il est l'heure de rentrer, en effet. Vous êtes prête, Geena ?

Geena avait de toute évidence apprécié la nourriture, mais elle n'avait mangé que la moitié du hamburger et quelques rondelles d'oignon. C'était néanmoins un bon début.

— Oui, répondit-elle. J'ai laissé ma voiture chez Gran, et nous sommes venus à pied jusqu'ici. Je m'étais dit que Tod avait besoin de prendre l'air, mais je n'ai pas pensé au retour.

— Venez, je vais vous ramener.

Ben reconduisit Tod chez lui, où l'attendait une mère remplie de gratitude. Ensuite, il parcourut les rues tranquilles qui menaient à la maison de Geena. Il roulait lentement, peu pressé de la quitter.

— Il est encore tôt, dit-il. Vous voulez aller voir un film ?

— Je ne peux pas, répondit-elle, en croisant les bras sur son estomac. J'ai... j'ai promis à ma grand-mère de jouer aux cartes avec elle.

Il leva un sourcil, et prit une expression moqueuse.

— Comme excuse, c'est du même niveau que celle du shampooing. D'autre part, il se trouve que je sais bien que votre grand-mère joue au bridge avec Martha et Edna, tous les vendredis soir.

Il attendit quelques secondes, puis la regarda de plus près.

— Vous allez bien ?

— Très bien. De toute façon, je n'ai pas d'explications à donner. Il y a une file d'attente pour sortir avec moi. Les hommes réservent des semaines à l'avance.

Ben s'arrêta devant la grande maison victorienne de Gran, et sortit un calendrier de son portefeuille.

— Que faites-vous le samedi 10 octobre ? C'est dans trois semaines. Est-ce que c'est assez éloigné ?

— Le 10 ? Je suis prise, ce soir-là.

— Vous me faites marcher.

Il descendit de voiture, et s'aperçut qu'elle attendait qu'il vienne lui ouvrir la portière. Pourquoi pas ? se dit-il en haussant les épaules. Il aimait bien jouer au gentleman, et il en avait rarement l'occasion avec les femmes modernes.

Il fut tout de même un peu surpris de la voir, ensuite, passer devant lui et remonter l'allée en laissant derrière elle le sillage de son parfum.

Il la suivit, réglant son pas sur ses longues enjambées, et la devança au moment où elle arrivait à la porte. Il s'appuya au montant de la porte, l'empêchant ainsi d'introduire sa clé dans la serrure.

— Et le samedi d'après ?

— Le 17 ? J'ai quelque chose de prévu pour ce soir-là aussi, dit-elle en insérant la clé.

— On veut se faire désirer, c'est ça ?

Il avança les mains vers elle.

— Vous ne voulez pas me dire quand…

Il ne put achever sa phrase. Son parfum suave lui emplit les narines, et il sentit sous ses doigts les formes graciles de son corps. Il se pencha en avant et effleura ses lèvres.

124

Ce baiser fugace fut assez long pour allumer son désir, mais trop bref pour le satisfaire. Il l'aurait embrassée de nouveau si elle ne s'était dégagée pour ouvrir la porte d'entrée.

— Je vous en prie... Je me suis bien amusée, mais je dois rentrer.

Avec une précipitation plutôt douloureuse pour l'ego de Ben, elle se glissa à l'intérieur de la maison.

Ben rejoignit sa voiture, perplexe et quelque peu irrité. Que se passait-il dans la tête de Geena ? Lors de rencontres précédentes, elle avait flirté avec lui ; elle lui avait manifesté de la compassion et de la gentillesse, quand ils s'étaient vus dans le parc. Et même ce soir, à la Steakerie, elle avait paru heureuse de passer un moment avec lui. Pourtant, un petit baiser innocent l'avait fait fuir comme une vieille fille effarouchée. On aurait dit que par esprit de contradiction, ou pour le rendre fou, elle avait décidé de lui échapper à présent qu'elle l'avait appâté.

Il mit le contact, et le moteur ronronna. Après tout, ne prendrait-il pas un certain plaisir au jeu de la conquête ?

Derrière la fenêtre obscure de la salle à manger, Geena regarda la voiture de Ben s'éloigner. Elle ressentait un petit fourmillement sur ses lèvres. Elle regrettait que la soirée se soit terminée si tôt, car ce baiser presque imperceptible n'avait fait qu'exciter son envie d'autres baisers. Elle savait qu'elle passerait la nuit à échafauder des rêves. Des rêves qui auraient pu se réaliser si son corps ne s'était pas révolté.

Rien n'était perdu... Elle savait déjà qu'elle l'intéressait, et cela lui suffisait pour le moment. La prochaine fois que Gran se rendrait à sa soirée de bridge, elle pourrait inviter Ben à la maison.

Tandis que les feux arrière disparaissaient au coin de la rue, son sourire s'évanouit, et elle posa la main au creux de la taille. Elle avait une lourdeur douloureuse à l'estomac. Le hamburger était bien passé, mais à présent l'idée qu'il libérait ses calories et ses graisses lui donnait l'impression qu'elle devenait énorme.

Elle monta l'escalier en courant, entra dans la salle de bains, s'agenouilla devant les toilettes, et se fit vomir en introduisant un doigt dans la gorge.

Le lendemain matin, elle se réveilla en proie à un sentiment de culpabilité mêlé de tristesse. Elle resta au lit, à repasser dans son esprit les événements de la veille, pour essayer de comprendre la cause de son malaise. Avec Tod, ça s'était bien passé. Avec Ben, très bien. Le repas... Oh, c'était bien là le problème !

Ce n'était pas la première fois que ce genre de situation se produisait. Mais c'était la première fois qu'elle en sortait complètement démoralisée.

Elle se leva et contempla son corps nu devant la glace. C'était comme si elle se voyait avec le regard d'une personne extérieure. Chacune de ses côtes était apparente, l'os de sa hanche saillait sous la peau, et sa clavicule aurait pu faire office de porte-chapeau. Est-ce que la carrière de mannequin, ou n'importe quelle autre carrière, d'ailleurs, valait la peine qu'on se laisse mourir de faim ? Elle ne s'était jamais posé la question auparavant, mais la réponse lui faisait face dans le miroir. C'était non.

Elle était responsable de son corps, et Gran avait eu raison de lui dire qu'elle devait cesser de le malmener.

Si elle aimait réellement son corps, comme elle l'avait déclaré à Ben, ne devait-elle pas le traiter avec plus d'égards ? La vérité, c'est qu'une évolution se produisait en elle, et le fait d'avoir frôlé la mort lui permettait de comprendre, avec une lucidité accrue, que son mode de vie nécessitait un changement radical.

Elle passa une robe achetée dans sa boutique préférée de New York, mit quelques gouttes de parfum et décida de se passer de maquillage.

En bas, dans la cuisine, la radio marchait en sourdine, et on entendait le tic-tac familier de la grande horloge.

— Bonjour, Gran, dit-elle en posant un baiser sur la tempe de la vieille dame.

Gran leva les yeux de son journal, et lui sourit.

— Erin a appelé. Elle voulait savoir si tu avais envie de te promener avec elle et Erik, ce matin.

— J'aimerais beaucoup. J'ai promis à Carrie Wakefield de m'occuper de Billy, le temps pour elle d'emmener Tod à l'hôpital. J'appellerai Erin dans quelques minutes.

Elle monta le son de la radio, juste à temps pour entendre un reportage sur les derniers événements au Guatemala. A la suite du séisme, des glissements de terrain s'étaient produits et avaient causé la mort de nombreuses personnes. Cela lui donna le frisson. Elle réalisa que, à un mois près, Ben aurait été pris dans cette catastrophe, mais elle s'en voulut aussitôt de cette pensée égoïste, étant donné le nombre de victimes.

— Tu ne trouves pas que c'est horrible, tout ce qui se passe au Guatemala ? demanda Gran. J'ai vu que le Dr Matthews avait mis des cartons pour collecter des vêtements et des produits destinés aux victimes du tremblement de terre. Je vais commencer à tricoter des bonnets et des écharpes pour ces pauvres gens.

— C'est gentil, Gran.

Geena alla ouvrir la porte du réfrigérateur et prit la boîte d'œufs.

— Tu veux un œuf à la coque ? Je vais m'en faire un.

— J'ai déjà déjeuné, merci.

Gran observait tous les mouvements de Geena, les yeux écarquillés.

— Tu te sens bien ?

— Si on oublie les informations, je me sens bien.

Elle fit couler de l'eau dans une casserole et la mit à chauffer, avec le sentiment qu'en accomplissant ces gestes simples elle agissait de manière positive pour elle-même. En effet, comment pouvait-elle espérer que les autres l'aiment, si elle-même ne s'aimait pas ?

Malgré toute sa bonne volonté, Geena ne put se résoudre à absorber le toast beurré qu'elle avait préparé pour accompagner son œuf à la coque. Les petites mouillettes grillées la rebutaient, prouvant qu'une métamorphose ne pouvait pas s'opérer du jour au lendemain. Elle mangea une orange à la place, et décida de noter tout ce qu'elle consommerait pendant la semaine à venir, et de demander ensuite à la nutritionniste de lui donner son avis sur ses nouvelles habitudes alimentaires.

Samedi 11 septembre. Petit déjeuner : orange, œuf à la coque.

Elle se promit de manger le toast le lendemain.

Un peu plus tard, Geena et Erin se promenaient côte à côte, aux abords de la rivière. Elles poussaient chacune une poussette : Geena celle de Billy, et Erin celle de son fils, Erik.

Elles marchaient parmi les érables et les chênes dont les feuilles commençaient à prendre les couleurs de l'automne. Des enfants jouaient avec des cerfs-volants, et quelques couples flânaient, tandis que d'autres donnaient du pain aux canards ou se reposaient sur un banc.

Il faisait un peu frais à l'ombre des arbres, et les bébés étaient chaudement emmitouflés. Geena contemplait la minuscule poitrine de Billy qui se soulevait en dormant, et s'amusait à imaginer que c'était son propre bébé. Elle se demandait quand son tour viendrait.

— Quel effet ça fait d'être mère ? demanda-t-elle à Erin.

— C'est merveilleux, répondit sa sœur. Bien sûr, mon travail me manque, mais pas autant que j'aurais cru.

— Je suppose que tu vas finir par le reprendre ?

— Oui. La garderie est à quelques pas, et je pourrai voir Erik au moment des pauses. Pour le déjeuner, je l'emmènerai à la caserne des pompiers pour manger avec Nick. S'il n'est pas sur le terrain, naturellement.

— Tu as tiré le bon numéro, avec Nick.

— Le meilleur ! Tu vois ce banc, là-bas, sous l'arbre ? C'est là que nous avons déjeuné ensemble pour la première fois.

Erin lui jeta un regard en dessous.

— Ben Matthews n'est pas mal non plus. J'ai appris que tu avais dîné avec lui à la Steakerie.

— J'y avais emmené Tod, répondit Geena, évasive. Je suis très peinée pour ce petit garçon, obligé de subir le supplice de la chimiothérapie. Il a du mal à accepter de perdre ses cheveux, en ce moment.

— Je trouve que c'est formidable de ta part de t'occuper de lui. Je n'aurais jamais pensé que tu pouvais faire ce genre de chose…

Erin s'interrompit brusquement.

— Oh, oh ! Attention, voilà la sorcière.

Geena suivit son regard et ne put retenir un grognement. Greta Vogler se dirigeait vers elles.

— Je n'ai toujours pas fini mes devoirs de maths de cette semaine, marmonna Geena à l'intention d'Erin. Elle ne va pas manquer de m'en parler.

— Bonjour, Geena, bonjour, Erin, dit Greta.

Visiblement, la journée n'était pas suffisamment bonne pour amener un sourire sur ses lèvres.

Geena détestait cette manière qu'avait son ex-professeur de lui donner l'impression qu'elle avait toujours quinze ans.

— Bonjour, Greta.

— Tes devoirs de maths avancent ?

— C'est facile comme tout, répondit Geena en affichant un petit sourire insouciant.

— Tu pourras donc me les remettre aujourd'hui.

— Sans problème.

Geena possédait la faculté de paraître absolument sûre d'elle, même lorsqu'elle tremblait de peur.

Tel un rapace en quête d'une proie plus appétissante, Greta porta son attention sur le bébé d'Erin.

— Il ne ressemble pas beaucoup à son père, n'est-ce pas, ce pauvre petit bonhomme ?

Et aussitôt, elle plaqua une main sur sa bouche.

— Oh, je suis désolée… J'oublie toujours que Nick n'est pas son vrai père.

— Nick est le vrai père d'Erik, rétorqua Erin d'une voix grinçante.

— Du calme, Erin, dit Geena en se mordant la langue.

Greta savait qu'Erin était enceinte de son ex-fiancé, au moment où elle avait connu Nick. L'ex s'était soustrait

130

à ses responsabilités de père, mais Nick avait largement compensé en adoptant Erik.

— J'ai appris que Kelly et Max avaient des problèmes, poursuivit Greta, sans même se donner la peine de baisser la voix. Il n'y a rien de surprenant, vu qu'ils se sont mariés si jeunes. Mais ce serait affreux pour ces malheureux enfants, s'ils venaient à se séparer.

Erin ne put en supporter davantage.

— Occupez-vous de vos affaires, mademoiselle Vogler ! dit-elle sèchement. Vous n'êtes qu'une... qu'un vieux truc ratatiné !

— Eh bien, ça alors ! lança Greta, les yeux agrandis par la surprise.

Son regard s'étrécit. Elle croisa les mains et avança son menton pointu, prenant l'attitude qui lui était coutumière quand elle se préparait à infliger une punition.

— Je croyais que tu étais une dame bien élevée, Erin. Eh bien, je me trompais.

Geena comprit soudain que Greta était jalouse, jalouse d'Erin et de Kelly parce qu'elles avaient un mari et des enfants. Cela n'excusait pas son comportement, mais permettait à Geena de faire preuve de compréhension et de suivre les conseils de sa mère.

— Greta, j'ai remarqué que vous n'avez pas levé la main lorsque nous avons demandé des volontaires pour participer au défilé de mode. J'aimerais bien que vous y repensiez.

— Moi ? Oh, non ! Non, certainement pas.

— Vous êtes bien proportionnée, et vous avez vraiment de jolies jambes. N'est-ce pas, Erin, qu'elle a de jolies jambes ?

Erin émit un son confus, auquel Geena ne prêta nulle attention.

— Alors, qu'en dites-vous, Greta ?

— Je n'ai absolument aucun charme, j'aurais l'air complètement ridicule !

Geena perçut une petite lueur d'intérêt dans la réaction de Greta. Suffisamment, en tout cas, pour l'encourager à poursuivre.

— Je vais vous relooker entièrement, dit-elle. Ce sera très amusant.

— Me « relooker » ? répéta Greta.

— Parfait, dit Geena, comme si elle venait d'accepter. Je m'occupe de tout, et je vous fais signe dès que nous sommes prêtes.

— D'accord. Mais n'oublie pas ton devoir d'algèbre. L'école passe avant tout.

— J'aurai largement le temps de tout faire.

Elle l'espérait, en tout cas. Les problèmes d'algèbre la décourageaient, mais réparer vingt années de laisser-aller total serait un véritable défi pour elle.

Dès que Greta fut hors de portée de voix, Erin se mit en colère.

— Comment as-tu pu faire une chose pareille ?

— Elle me fait pitié.

— Ce n'est qu'une vieille sorcière aigrie ! Je me fiche bien de ce qu'elle peut dire de moi, mais quand elle parle de Kelly avec méchanceté, je ne sais pas ce qui me retient de lui en coller une !

Geena hésita un instant avant de parler.

— Erin, je t'ai raconté comment, après ma syncope, j'ai parcouru un tunnel en direction d'une lumière, et j'ai vu maman...

— Oui, dans une salle d'attente de dentiste, dit Erin, un peu sur ses gardes.

Geena était bien obligée de reconnaître que son histoire paraissait bizarre, mais elle décida de poursuivre.

— Maman m'a dit d'être gentille avec Greta, et d'essayer de lui pardonner.

Erin s'arrêta pour regarder sa sœur en face.

— Tu as toujours été celle d'entre nous qui l'a le plus détestée. Alors, quand je t'ai vue agir ainsi avec elle... Il t'est réellement arrivé quelque chose, pas vrai ?

Geena acquiesça, et sentit se desserrer l'étau au creux de sa poitrine. Erin la croyait.

Elles reprirent leur promenade en silence, jusqu'au moment où Erin s'arrêta de nouveau et leva la tête vers le ciel bleu de septembre, le regard légèrement embué.

— Est-ce que maman... a parlé de moi ?

— Je croyais te l'avoir dit. Elle m'a recommandé de vous dire, à toi et à Kelly, qu'elle vous aimait et qu'elle était fière de vous.

Une larme s'échappa et roula sur la joue d'Erin.

— C'est vrai ? demanda-t-elle avec un sourire tremblant.

— C'est vrai.

Geena prit sa sœur dans ses bras, et elles s'étreignirent longuement. Quand elles se séparèrent, Geena s'essuya les yeux avec le dos de sa main.

— Pas surprenant, dit Erin. Cela ne pouvait arriver qu'à toi. Tu as toujours été la préférée de maman.

Geena lui donna un petit coup de poing.

— C'est faux.

— Non, c'est parfaitement vrai.

— C'est faux !

Elles éclatèrent de rire et s'embrassèrent de nouveau. Elles marchèrent jusqu'au bout du parc, puis tournèrent dans la rue où habitaient les Wakefield, afin de permettre à Geena de déposer Billy chez sa mère. Erin attendit au bas de l'escalier pendant que Geena amenait le bébé jusqu'à la porte.

— Tod est allé chez un ami, et moi, je me suis mise à faire du ménage, dit Carrie. Je ne sais pas comment vous remercier.

— Cela ne m'a pas dérangée, au contraire. La prochaine fois, prévoyez une pause pour vous. Je suis contente de m'occuper de Billy ou de Tod, ou des deux, si vous voulez. Passez-moi juste un petit coup de fil.

— Vous êtes un ange, dit Carrie en prenant Billy dans sa poussette.

Erin la taquina, sur le chemin de la maison de Gran.

— Alors comme ça, ma petite sœur est devenue un ange ?

— J'aime aider les autres, répondit Geena sur le ton de la défensive. Cela me fait du bien.

Elle s'arrêta devant la voiture d'Erin, garée devant la grande maison victorienne.

— Je te dirais bien d'entrer, mais il faut que je fasse ces problèmes d'algèbre.

— Fais-moi un peu de thé, et je t'aiderai pour ton algèbre, proposa Erin.

— Marché conclu.

8.

— Après mon opération de l'appendicite, je n'ai pas eu de problème pendant trois mois. Et puis, ma hanche a commencé à me tracasser.

Coincée derrière sa planche à repasser, Edna bavardait tout en repassant et pliant ses serviettes.

Ben, assis devant la table de la cuisine, une tasse de café à la main, écoutait la énième édition du passé médical d'Edna. Plus tôt dans la matinée, il était sorti faire son jogging le long de la rivière, dans l'espoir de rencontrer Geena, mais il avait dû se contenter de l'apercevoir de loin, qui se promenait avec sa sœur en poussant un bébé dans sa poussette. Ensuite, il s'était occupé de ses courses, de sa lessive, et avait fait un saut chez Edna pour récupérer un carton qu'il avait laissé lors de son déménagement. A vrai dire, il était surtout passé pour prendre de ses nouvelles. Elle se portait plutôt bien, malgré tous les maux dont elle disait souffrir, et elle avait beaucoup d'amis qui s'occupaient d'elle, mais elle n'était plus de la première jeunesse, et Ben préférait s'assurer personnellement que tout allait bien. Depuis que son frère avait été porté disparu, il éprouvait le besoin de veiller sur les gens qu'il aimait.

Il ne parvenait pas à se concentrer sur les problèmes de sciatique d'Edna, car, aux premières informations de la matinée, il avait appris que de nouvelles secousses s'étaient produites dans les montagnes à l'ouest du pays. Il avait beau se dire que son frère prendrait contact avec lui dès qu'il le pourrait, l'attente devenait de plus en plus insupportable. Ben avait finalement réussi à joindre Médicos International, mais personne n'avait pu lui dire où se trouvait Eddie, ni même s'il était encore vivant. Toutes les communications avaient été coupées avec le village, et seules les équipes de sauvetage étaient habilitées à se rendre sur les lieux de la catastrophe. « Pas de nouvelles, bonnes nouvelles », ne cessait-il de se répéter. Mais il avait de plus en plus de mal à s'en convaincre.

Ils entendirent alors frapper à la porte.

— Pouvez-vous aller ouvrir, Ben ?

Heureux de cette diversion bienvenue, il se dirigea vers la porte.

Il se trouva nez à nez avec Geena. Elle attendait sur le seuil, vêtue d'une robe couleur pêche qui lui donnait l'allure d'une star des années cinquante — une robe qui épousait ses courbes délicates et illuminait son teint. Il ne lui avait plus parlé depuis leur dîner à la Steakerie, et n'avait pas réussi à oublier la manière brusque dont elle l'avait congédié ce soir-là. Il en éprouvait encore une sorte de dépit.

— Ah, vous êtes là… Bonjour, dit-elle.

Elle portait un fourre-tout de toile noire en bandoulière, qui la faisait légèrement plier d'un côté.

— Edna est là ?

— Oui. Entrez donc.

Il se demanda, et ce n'était pas la première fois, comment il pouvait se sentir attiré par une femme aussi frivole. Il avait comme l'impression que quelque chose ne devait pas tourner rond chez lui.

— Bonjour, madame Thompson, dit Geena en le suivant dans la cuisine. Comment allez-vous, aujourd'hui ?

— Oh, je n'ai pas à me plaindre... J'étais en train de dire à Ben que j'ai des élancements de sciatique dans ma jambe gauche. Voulez-vous une tasse de café, ou quelque chose à manger ?

— Non, merci. J'ai déjà déjeuné.

Ben leva un sourcil.

— Un sandwich à la dinde, dit Geena comme pour répondre à sa question muette. Edna, Gran m'a dit que vous souhaitiez acheter un billet pour le défilé de mode.

— Oui. Attendez une seconde, je vais chercher mon porte-monnaie.

Edna réussit à s'extirper de derrière la table à repasser, et quitta la pièce.

Ben tendit négligemment la main vers le carnet de billets que Geena avait posé sur la table de la cuisine, et l'examina de plus près.

— Voilà donc votre rendez-vous du 17. Vous allez présenter des modèles ?

Elle laissa son sac tomber à terre.

— Cela ne me pose aucun problème, répondit-elle, un peu sur la défensive.

— Ce n'est pas ce que j'ai voulu dire. Il ne vous vient jamais à l'idée que vous pourriez aimer faire quelque chose de moins...

Il s'arrêta au milieu de sa phrase. Ressentir du mépris pour Geena et les gens de son espèce avait paru facile tant qu'elle n'avait été qu'une image dans un journal. Mais, à présent, il la connaissait mieux. C'était un être

137

humain, avec ses forces et ses faiblesses, et surtout avec ses sentiments.

— Moins quoi ?

Son visage avait pris une expression méfiante, comme si elle avait compris où il voulait en venir.

— Rien.

— Moins superficiel ?

Il se passa la main dans les cheveux, avant de répondre.

— Vous ne pouvez pas contester que l'argent dépensé par les femmes en vêtements pourrait servir à des causes plus dignes d'intérêt. Savez-vous que le prix d'un seul modèle de couturier pourrait nourrir un enfant du Guatemala pendant toute une année ?

Il pensait à son frère qui travaillait dur pour un salaire peu élevé, et apportait son aide à des gens encore plus démunis...

L'éclat qui brilla dans ses yeux bleus indiqua à quel point elle était blessée, mais elle n'en laissa rien paraître, et répondit avec une certaine désinvolture :

— C'est un métier comme les autres, non ? Tout le monde ne peut pas être médecin ou... ingénieur spatial.

— On n'est pas obligé d'être ingénieur spatial pour faire quelque chose d'utile.

— Je sais, dit-elle en examinant ses ongles et affectant une insouciance exaspérante.

— Voilà, voilà, dit Edna en revenant dans la pièce.

Elle sortit des billets de son sac à main et les tendit à Geena.

— Je vais prendre deux billets. Ma sœur, qui habite Yakima, vient me voir le mois prochain. A quelle œuvre est destinée la recette du défilé, Geena ?

— Les aides-soignantes de l'hôpital récoltent de l'argent pour aider le fonds d'aide aux victimes du tremblement de terre au Guatemala.

Ben la regarda fixement.

— Vous auriez pu m'en parler avant que je me mette à dire n'importe quoi...

— Je n'aurais pas eu le privilège d'entendre votre opinion d'expert.

— Personne ne m'a jamais parlé de ce fonds d'aide, dit Ben, totalement déconcerté.

— Je crois que Mabel se demande si on va réussir, intervint Edna en se raclant la gorge. J'ai lu dans le journal d'Hainesville que les oies des neiges sont arrivées au refuge du gibier d'eau, et vont poursuivre leur vol vers le sud. Il fait très beau, dehors.

— Je dois partir, dit Geena en rangeant le carnet de billets dans son sac. Merci pour votre aide, madame Thompson. Ne vous dérangez pas, je connais le chemin.

Elle passa la porte sans même jeter un regard à Ben.

— Si vous voulez bien m'excuser, Edna, dit Ben. Il faut que je parte, moi aussi.

Il se lança derrière Geena, puis s'arrêta net.

— Zut, mes affaires !

— Vous les prendrez plus tard, dit Edna. Dépêchez-vous, maintenant, ou elle ne va pas tarder à arriver au bout de la rue, avec ses longues jambes.

Ben rattrapa Geena au coin de la rue. Elle marchait, le menton levé, en regardant droit devant elle, comme s'il n'existait pas. Ne sachant trop quoi dire, il se mit à marcher à côté d'elle.

— Où allez-vous ?

Elle lui jeta un regard de biais en plissant les yeux.

— Je vais ramener des livres à la bibliothèque, et ensuite je dois porter un dev... Je dois rendre visite à quelqu'un.

— Que diriez-vous de faire une petite promenade quand vous aurez fini ? On pourrait aller voir les oies des neiges ?

— Désolée, mais j'ai à faire.

— Vous devez vous laver les cheveux ?

Elle lui jeta un regard furieux.

— Je les ai lavés ce matin.

— Excusez-moi, c'était pour vous taquiner. Vous êtes très jolie, comme d'habitude. Je vous ai vue avec votre sœur, ce matin. A qui est le bébé que vous promeniez ? ajouta-t-il sur un ton détaché.

— C'est le bébé de Carrie Wakefield. Elle avait besoin de quelques heures de liberté.

— C'était très gentil de votre part. Vous savez que vous pouvez provoquer une scoliose de la colonne vertébrale, en portant des poids sur une seule épaule ? Laissez-moi vous aider.

Il fit un mouvement pour lui prendre son sac, mais elle le repoussa du bras, et le sac se renversa, si bien que tous les livres s'éparpillèrent sur le trottoir.

— Regardez ce que vous avez fait !

Ben trouva que sa réaction avait quelque chose d'excessif. Très contrariée, elle se mit à ramasser les livres avec une grande fébrilité.

— Je suis désolé, dit Ben.

Il s'accroupit et prit dans les mains un gros livre cartonné.

— C'est de l'algèbre ?

— Donnez-moi ça. C'est... c'est à ma nièce. Elle m'a demandé de le rendre à la bibliothèque.

140

Elle lui arracha le livre des mains, et le fourra précipitamment dans son fourre-tout.

Ben en aperçut un qu'elle n'avait pas vu, et qui gisait dans l'herbe à côté du trottoir. Il le ramassa. La couverture montrait une femme vêtue d'une robe blanche flottante, qui tendait la main vers une lumière éclatante.

— *La lumière de l'espoir*, dit-il. De quoi est-ce que ça parle ?

— De rien, répondit-elle en essayant de lui reprendre le volume.

Intrigué, il fit un tour sur lui-même pour se dégager, et réussit à lire la quatrième de couverture : « Une enquête sur les personnes qui ont vécu une expérience de mort temporaire. »

Il lui jeta un regard par-dessus son épaule.

— Vous êtes toujours obsédée par ce phénomène paranormal ?

Elle lui arracha brusquement le livre pour le remettre dans son sac.

— Il ne s'agit pas d'une obsession. Après avoir lu les récits de personnes qui ont vécu une expérience semblable à la mienne, je suis encore plus persuadée que c'est une réalité. Alors, ne me dites pas que je raconte des bêtises.

— Je ne me permettrais pas, mais vous devriez connaître certaines choses.

Il s'appuya contre un arbre, et croisa les bras sur sa poitrine.

— Récemment, j'ai lu le compte rendu d'une étude concernant l'effet de la force G sur les pilotes de chasse. Lorsque les pilotes subissent de fortes accélérations, le sang se retire de leur cerveau. Juste avant de perdre conscience, ils éprouvent des sensations semblables à celles que décrivent les gens qui ont connu l'état de mort temporaire, c'est-à-dire qu'ils voient un tunnel et une clarté intense. Selon toute vraisemblance, au moment où le cerveau est privé d'oxygène, les neurones de la vision réagissent de manière anarchique, créant cette impression de lumière vive. Du fait qu'il y a un plus grand nombre de neurones au centre de notre champ de vision, on obtient cet effet de tunnel qui s'ouvre devant nous.

Elle le regardait fixement, les deux mains plantées sur ses hanches fines.

— Cela ne prouve absolument rien. Ma « mort » a été la plus belle chose qui me soit jamais arrivée.

— Cela n'a rien de surprenant, dit Ben. En périodes de grand stress, notre cerveau libère des substances voisines de l'opium, destinées à soulager notre anxiété. Elles produisent des hallucinations dans les parties du cerveau qui commandent les émotions et la mémoire. Les pilotes interrogés dans le cadre de cette étude ont éprouvé un sentiment d'euphorie juste avant de sombrer dans l'inconscience.

Geena se mit à rire de ce qu'elle entendait, n'en croyant pas un mot, et elle fit mine de s'arracher les cheveux.

— Je me fiche pas mal de ce que racontent les études. Je n'ai pas simplement eu une sensation d'euphorie. C'est de l'amour, que j'ai ressenti.

— L'amour, c'est le summum de l'euphorie, non ? demanda Ben pour appuyer son argumentation.

Elle secoua la tête.

— Vous ne comprenez pas.

— C'est à vous que j'essaie de faire comprendre que ces phénomènes paranormaux ont une explication scientifique.

Elle jeta son sac sur l'épaule.

— La science est loin d'apporter toutes les réponses, Ben Matthews. Ouvrez grand votre esprit, et vous pourriez être surpris de ce qu'il peut accueillir.

Là-dessus, elle se sauva en toute hâte, et disparut bientôt au coin de la rue. Ben la suivit du regard en secouant la tête. Juste au moment où il croyait commencer à la connaître, juste quand ils commençaient à se comprendre, il avait fallu que tout soit fichu en l'air. Quand ce n'était pas son métier de mannequin, c'était son expérience de mort temporaire. Elle faisait du baby-sitting pour une femme qu'elle connaissait à peine, elle croyait au paranormal... Et l'algèbre, dans tout ça ?

Mais qui donc était Geena Hanson ?

Zut et zut ! Pourquoi ne l'avait-il pas plutôt surprise en train de lire *Guerre et Paix* ? A vrai dire, elle n'avait jamais ouvert ce genre de pavé. Et dire qu'il avait vu son livre d'algèbre ! S'il venait à savoir pourquoi elle étudiait les mathématiques, elle en mourrait de honte.

Sa contrariété se transforma aussitôt en colère, lorsqu'elle se remémora son discours sur les « véritables » causes de son expérience. Elle releva le menton, et cala bien son sac sur l'épaule. « On ne peut pas convaincre un sceptique », se dit-elle, refusant d'entendre la petite voix qui lui murmurait que Ben était différent des autres, qu'il aurait dû comprendre, ou tout au moins accepter.

Il semblait focalisé sur son apparence physique. Soit pour dénigrer sa profession et l'importance qu'elle accordait à son image, soit pour lui dire qu'elle était très jolie. Que se passerait-il le jour où son visage se fanerait et perdrait sa beauté ? Tous les soins esthétiques, les cosmétiques, les régimes alimentaires du monde ne l'empêcheraient pas de vieillir. Comme n'importe qui. Et qui voudrait d'elle, alors ? Sûrement pas les hommes qu'elle croisait à Cannes ou à Saint-Moritz ! Ils se tourneraient vers des femmes plus jeunes.

Elle savait que Ben était le genre d'homme à aimer une femme pour ce qu'elle était réellement, et pas uniquement pour sa beauté. Mais il ne la prenait pas au sérieux, il ne voulait pas voir la vraie Geena qui se cachait sous le vernis superficiel. Pourquoi refusait-il de remarquer ses côtés positifs ? Elle s'apercevait, à présent, que sa mère avait raison : elle possédait la faculté d'aider les autres, le don de la générosité. En sa qualité de médecin, Ben aurait dû être plus à même d'apprécier ces aspects de sa personnalité.

Le temps d'arriver chez Greta, elle avait presque réussi à se persuader que l'opinion de Ben lui importait peu. D'ailleurs, elle le chassa de son esprit lorsque Greta ouvrit la porte, une poupée Barbie à la main. C'était la Barbie de Malibu.

Greta entoura la poupée de sa main comme pour la protéger.

— Ne reste pas là, entre.

— Je suis venue déposer mon devoir d'algèbre.

Mais Greta avait déjà disparu dans une pièce à gauche de l'entrée. Geena la suivit, brûlant de curiosité. Lorsqu'elle était adolescente, il lui aurait semblé inconcevable de mettre les pieds dans la maison d'un professeur, et aujourd'hui encore elle trouvait cela hallucinant.

Elle pénétra dans la salle de séjour et plissa les yeux. Sur le mur opposé à l'entrée, elle vit une vitrine dans laquelle étaient exposées, sur plusieurs étagères, des dizaines de poupées Barbie. Comme hypnotisée, Geena s'avança jusqu'à la vitrine. Le meuble semblait contenir un exemplaire de toutes les poupées Barbie produites à ce jour — la Barbie cow-boy, la Barbie infirmière, la Barbie pompier, il n'en manquait aucune. Les poupées étaient alignées sur quatre épaisseurs, se bousculant avec leurs larges épaules, et plantant leurs seins pointus dans celles qui se trouvaient devant.

— Ouah..., dit-elle dans un souffle.

Elle se tourna vers Greta.

— Vous les avez toutes collectionnées ?

— J'ai commencé quand j'avais neuf ans, et je n'ai jamais cessé, répondit Greta, assise devant la table basse.

Elle avait sorti cinq ou six poupées et était en train de les emballer dans une boîte.

— Tu es un peu en retard, et donc il ne me reste pas beaucoup de temps, car je dois partir pour le club Barbie. Je viens d'être élue présidente de ma section, ajouta-t-elle avec une certaine fierté.

Geena ne parvint pas à garder son sérieux.

— Le club Barbie ?

— J'espère que cela ne te fait pas rire, reprit Greta d'un ton sec. Les poupées Barbie ont beaucoup de valeur, tu sais. Si elles sont en parfait état, elles peuvent atteindre jusqu'à dix mille dollars.

— Vous considérez donc cela comme un investissement ?

Greta caressa les longs cheveux noirs de la Barbie qu'elle tenait dans ses mains, et son visage se radoucit.

— Personne ne fait cela uniquement pour de l'argent.

Geena parcourut les visages et les costumes des poupées de la vitrine. Elle en remarqua une qui portait des lunettes à monture d'écaille et une blouse blanche. Elle lui rappela quelque chose.

— J'ai eu une Dr Barbie exactement semblable à celle-ci, lorsque j'étais petite.

Greta comprit aussitôt de quelle poupée il s'agissait.

— Je l'ai achetée à une vente de charité... Je crois que ce devait être en 1982.

Geena fit un rapide calcul mental.

— C'est à peu près à cette époque-là que j'ai vu la mienne pour la dernière fois. Je me suis toujours demandé ce qu'était devenue Dr Barbie. Je suppose que Gran s'en est débarrassée lorsque j'ai cessé de jouer à la poupée, ajouta-t-elle avec un soupir. Qui sait, c'est peut-être la mienne ?

Comme Greta se taisait, elle se retourna et rencontra son regard légèrement anxieux.

— Tu ne veux pas que je te la rende, n'est-ce pas ?

— Dieu du ciel, non ! lui répondit Geena, se hâtant de la rassurer.

Elle s'approcha de la table basse.

— Parlez-moi de celles-ci.

— Ce sont des modèles d'une nouvelle série que Mattel a sortie l'année dernière, et qu'ils ont appelé « collection de mannequins de mode ». Elles sont fabriquées en une sorte de vinyle, une nouvelle matière. Elles sont magnifiques, n'est-ce pas ?

— Oui, certainement, répondit Geena, peu emballée par ce genre de concept.

Elle plongea la main dans son fourre-tout.

— J'ai terminé mon algèbre. Je me suis fait un peu aider pour certaines équations.

— C'est bien, à condition que tu aies compris comment on arrive au résultat.

Elle jeta un coup d'œil à la série de problèmes.

— Très bien.

Elle se leva, se dirigea vers un bureau, et prit une feuille de papier dans une pile.

— Voici quelques problèmes de trigonométrie. Vois ce que tu peux faire, et si tu as des difficultés, n'hésite pas à venir me voir.

— Merci. Je vais me sauver et vous laisser aller à votre réunion.

Greta l'accompagna jusqu'à la porte.

— C'est moi qui t'ai offert Dr Barbie peu après la mort de tes parents...

— Je ne savais pas, dit Geena en la regardant fixement.

— J'avais beaucoup de peine pour toi et tes sœurs. Tu n'avais que trois ans, et tu étais trop jeune pour avoir une Barbie. Mais j'en avais donné une à tes sœurs, et je me suis dit que tu voudrais sans doute la même chose qu'elles.

Les poupées avaient-elles été un moyen de racheter le mal qu'elle avait dit de leur père ?

— Pourquoi aviez-vous autant de peine ?

Greta parut troublée tout à coup, comme si elle mesurait qu'elle en avait trop dit.

— Leur mort était une tragédie. N'importe qui aurait éprouvé de la peine pour ces trois petites orphelines.

— Vous savez, Greta, mon père n'était pas ivre ce soir-là. Il a dérapé pour éviter un chien.

Le visage de Greta devint blanc.

— Comment le sais-tu ? Qui te l'a dit ?

Geena oublia ses bonnes intentions et libéra tout le chagrin et la rancune si longtemps contenus, en lui lançant brutalement :

— Vous n'auriez pas dû répandre des rumeurs sur mon père. Ce n'était pas juste.

Le visage de Greta se ferma, et elle recula vers l'intérieur.

— Je dois me préparer pour aller à ma réunion.

Geena, accablée, tourna le dos et partit. Qu'avait-elle espéré de la part de Greta ? Des excuses publiques ?

En haut des marches, elle s'arrêta, et réussit à dire, non sans difficulté :

— Merci de m'avoir donné la Barbie... à l'époque. C'était très gentil de votre part.

A sa grande surprise, elle vit que Greta avait les yeux humides.

— Allez, va. File, ou tu vas me mettre en retard.

— Est-ce que jeudi prochain, après la classe, vous convient pour votre relookage ? demanda Geena.

— Disons plutôt le vendredi d'après. Je pourrai prendre mon après-midi. Mais si tu fais tout cela pour m'amadouer, tu perds ton temps, ajouta Greta sèchement. Je n'ai aucun pouvoir sur l'examen final.

Geena préféra en rester là, et lui dit un bref au revoir. Dieu merci, elle ne prétendait pas à la sainteté : elle aurait déjà de la chance si elle arrivait à pardonner.

Le samedi matin, Ben se rendit à la maison de retraite pour voir ses patients. Lorsqu'il eut terminé sa visite, il consacra quelques minutes à donner ses instructions à l'infirmière en chef. Des bruits de conversation très animée, venant de la salle commune, l'obligèrent à élever légèrement la voix.

— Gardez M. Rankin au lit en lui relevant un peu la jambe, et appliquez-lui des compresses chaudes, dit-il. Je prendrai rendez-vous à l'hôpital pour qu'on lui fasse des analyses...

Il s'interrompit en entendant un rire qui ne lui était pas inconnu. Ce rire-là ne pouvait appartenir qu'à une seule personne.

Ce n'était pas un léger tintement féminin, ni un roucoulement de dame bien élevée, mais plutôt un gros éclat de rire joyeux, qui lui donna envie de sourire alors qu'il parlait de la thrombose de M. Rankin.

— Je suis désolée que le bruit vous dérange, docteur Matthews, dit l'infirmière, gênée. Geena Hanson est venue rendre visite aux amies de sa grand-mère, et elle se retrouve assaillie par une foule de dames. Elle les a rendues complètement excitées. Je vais y mettre bon ordre immédiatement.

— Non, n'en faites rien, dit Ben en levant la main. Un peu d'animation ne peut que leur faire du bien.

Il s'avança et jeta un coup d'œil dans la salle commune, par la porte entrouverte. Des divans et un poste de télévision occupaient l'un des coins. Une autre partie semblait consacrée aux exercices d'entraînement, avec un tapis de sol et des miroirs sur les murs. Et au centre de la pièce, Geena tenait sa cour, entourée de six ou sept femmes âgées assises sur des chaises ou dans des fauteuils roulants. Elles donnaient l'impression de s'amuser follement, et Geena encore plus que les autres. Le caractère inopiné de cette rencontre fit battre son cœur, et, en même temps, il éprouva quelques remords de conscience. Il regrettait de s'être montré inutilement blessant à propos de son expérience de mort temporaire. Il se demandait pourquoi il en faisait une affaire personnelle.

L'infirmière en chef passa devant Ben et, ne tenant aucun compte de son désir de les laisser tranquilles, elle annonça d'une voix forte :

— Il est bientôt l'heure de déjeuner, mesdames.

Quelques murmures de déception s'élevèrent, mais les pensionnaires commencèrent à se disperser. Ben observait Geena tandis qu'elle aidait ces dames à ranger les chaises, et une idée folle lui traversa l'esprit. Pourquoi n'abandonnerait-elle pas les défilés de mode pour travailler dans le domaine des soins palliatifs ou autres ? Elle semblait tellement à l'aise avec les gens, tellement chaleureuse, qu'elle ferait une soignante fantastique. De plus, se dit-il en cédant à ses fantasmes, une carrière de ce genre irait parfaitement bien avec sa vie de médecin d'une petite ville.

Puis il la vit passer devant la glace et, d'un geste automatique, vérifier sa coiffure, sa tenue, son allure générale. Il aurait aimé se dire que c'était là une réaction typiquement féminine devant la présence d'un homme, mais il craignait que le motif ne soit plus profond... ou plus superficiel. Tout dépendait du point de vue. Comme tout mannequin professionnel, elle attachait une importance capitale à son image, et même sa manière gracieuse de se mouvoir, tandis qu'elle traversait la salle, était le fruit d'un long travail. Et puis, pourquoi demanderait-on à quelqu'un de renoncer à une carrière lucrative et prestigieuse pour exercer un métier difficile, stressant et mal payé ?

— Bonjour, Ben, dit-elle fraîchement.

Elle serait volontiers passée devant lui en se contentant de lui faire un petit signe de tête, s'il n'avait pas fait demi-tour pour l'accompagner jusqu'à l'extérieur du bâtiment.

— Je suis surpris de vous voir ici, lui dit-il. Je n'aurais jamais imaginé que vous passeriez votre samedi matin à divertir les vieilles dames.

— J'essaie simplement de gagner des bons points, répliqua-t-elle avec un sourire impertinent.

Elle vit, à son regard, qu'il ne comprenait absolument rien à ce qu'elle disait, soupira et ajouta :

— C'étaient peut-être elles qui me divertissaient. J'ai retiré de ma visite aux vieilles dames beaucoup plus de plaisir qu'elles.

— J'ai l'impression qu'elles se sont bien amusées aussi.

Il hésita un instant avant de poursuivre :

— Vous n'avez jamais songé à travailler avec les personnes âgées ?

Elle se mit à rire, et lui répondit sur un ton désinvolte :

— On ne peut pas appeler cela un travail. C'est bien trop amusant. Et de plus, je ne suis pas qualifiée, moi.

Cela lui cloua le bec jusqu'au moment où ils arrivèrent devant sa voiture. Ses idées et ses sentiments n'étaient pas clairs au sujet de Geena, lui qui avait toujours su ce qu'il voulait et ce qu'il ressentait.

— Je peux vous déposer ?

— Non, merci. Je vais marcher.

Mais elle ne bougea pas, comme si elle attendait qu'il dise quelque chose.

Il songea qu'il valait mieux en finir, tout compte fait. Il laissa son regard errer un moment sur les sapins derrière la maison de retraite, puis il la regarda dans les yeux.

— Je suis désolé de vous avoir blessée, l'autre jour.

Elle croisa les bras et s'appuya contre la voiture.

— Donc, vous admettez l'existence de la mort temporaire ?

— Oh, je n'irais pas jusque-là...

Elle émit un petit rire bref.

— Au revoir, Ben.

Là-dessus, elle lui tourna le dos et s'éloigna.

— Geena...

Il sortit de sa poche une pochette de plastique et la lui tendit.

— J'avais l'intention de passer chez vous, tout à l'heure, pour vous donner ceci. J'ai pensé que ça vous plairait.

Le CD qu'il venait de lui donner était une compilation de chansons d'amour ; la première était la ballade que Tod avait choisie sur le juke-box de la Steakerie. Ben avait agi avec l'intention de lui faire plaisir, mais tout à coup il regretta son choix. Elle pouvait interpréter son cadeau d'une façon différente de celle qu'il avait prévue.

Il fut surpris de sa réaction. Elle paraissait si touchée qu'il crut un moment qu'elle allait fondre en larmes.

— Merci, je...

— Les oies des neiges, dit-il très vite. Samedi après-midi.

De peur qu'elle ne s'imagine qu'il s'agissait d'un rendez-vous galant, il s'empressa d'ajouter :

— Venez avec Tod.

— Je suis sûre que ça lui plaira beaucoup. Et à moi aussi, ajouta-t-elle après une légère hésitation.

Il prit ses doigts dans les siens, les serra brièvement, et ils se séparèrent. Geena lui sourit, avant de s'éloigner d'un pas rapide. Ben se sentit soudain de bonne humeur et soulagé. Lui et Geena étaient redevenus amis. Peut-être plus que de simples amis.

9.

— Tod arrive dans une minute, le temps de mettre son blouson, dit Carrie à Geena qui venait le chercher. Il est tout heureux d'aller voir les oies des neiges.

Elle s'interrompit et, lorsqu'elle reprit, Geena perçut un léger tremblement dans sa voix.

— J'avais espéré que cette dernière cure de chimio amènerait une rémission, mais son taux de globules blancs est toujours très élevé. Bien que les médecins préfèrent ne rien lui dire, Tod a compris que son état ne s'améliorait pas.

Geena, d'un geste spontané, serra la main de Carrie.

— Vous êtes sûre qu'il se sent assez bien pour faire cette promenade ?

— J'ai emprunté un fauteuil roulant à l'hôpital, au cas où il ne pourrait pas marcher jusqu'au bout.

Billy arriva d'un pas hésitant, habillé d'une couche et d'un T-shirt. Visiblement, il faisait ses premiers pas, et s'appuyait d'une main au mur. Carrie se pencha pour le prendre dans ses bras.

— Bien entendu, si cela ne vous dérange pas de le pousser quand il sera fatigué...

— Bien sûr que non. Les pistes qui mènent au refuge des oiseaux sont en gravier, mais le chemin est bien tassé, et nous ne devrions pas avoir de problème.

— Maman, j'arrive pas à remonter ma fermeture Eclair, dit Tod en sortant de sa chambre.

Il jeta un coup d'œil au bout du couloir et son visage s'illumina.

— Salut, Geena !

— Salut, mon pote, dit Geena avec entrain. Viens que je m'occupe de cette fermeture Eclair !

Elle avait reçu un choc en le voyant si pâle et amaigri. Elle s'efforça de dissimuler son émotion, tandis qu'elle s'agenouillait devant lui pour débloquer la fermeture. Sous les poignets déboutonnés, elle remarqua les ecchymoses à l'endroit où on l'avait piqué pour le perfuser.

— Alors, comment vas-tu ? J'espère que tu as mangé tes choux de Bruxelles.

Tod fit une grimace, et lui répondit, en chuchotant derrière sa main :

— Maman a trouvé un truc encore plus mauvais que ça : les épinards !

— J'adore les épinards, ça vous rend très fort, comme Popeye. Elle est drôlement coincée, cette fermeture !

— Popeye, c'est rien à côté de Terminator. Tu devrais aller voir le film.

— Et toi, tu l'as vu ?

Ce fut Carrie qui répondit en secouant la tête.

— Non. Et il ne va certainement pas aller le voir.

— J'ai vu la bande-annonce à la télé, dit Tod.

Il examina Geena en fronçant légèrement les sourcils.

— On dirait que tu as changé. Tu as grossi.

— Toi, au moins, tu es un type bien ! dit Geena en éclatant de rire.

Elle réussit à remonter la fermeture, et se releva.

— Tu n'arriveras jamais à conquérir une fille avec ce genre de compliment, dit-elle à Tod.

— Berk ! Je veux pas de petite amie.

Il mit sa main dans la sienne, et ajouta :

— Sauf si c'est toi, peut-être.

Le cœur de Geena se serra brusquement. « Mon Dieu, protégez cet enfant, faites qu'il ne lui arrive rien de mal. »

— Est-ce que tu savais qu'il y a trente-cinq tonnes de poussière cosmique qui tombent sur la terre chaque année ? lui demanda Tod.

— Je n'en savais rien du tout. Mais peut-être que Ben en sait plus que moi sur les poussières cosmiques, dit-elle avec un clin d'œil. D'ailleurs, je crois que j'ai entendu arriver sa voiture.

— Vite, donnez-moi encore des graines, docteur Ben, ou c'est bientôt moi qu'ils vont manger !

Les joues colorées par le grand air et par l'excitation, Tod riait et soulevait ses mains vides, pour les mettre hors de portée des dizaines de colverts bruyants qui s'étaient rassemblés autour de lui.

— Fais attention de ne pas te laisser mordre les doigts, lui dit Ben.

Il lui tendit le petit sac de graines qu'ils avaient acheté à la boutique du parc et, la main posée sur le dos du petit garçon, veillait à ce qu'il ne soit pas déstabilisé par le nombre grandissant d'oiseaux. Il jeta un coup d'œil à

Geena qui jetait des graines un peu plus loin, afin d'attirer une partie des canards loin de Tod.

Elle rencontra son regard, et lui adressa un sourire qui lui mit du baume au cœur. Elle portait une veste de cuir rouge, qui ajoutait une note de couleur à la grisaille ambiante. Et même les bottes en caoutchouc qu'il avait apportées à son intention, en se disant qu'elle viendrait avec des chaussures de ville, peu pratiques, n'enlevaient rien à la séduction qui se dégageait de sa personne.

— J'ai l'impression d'être Cendrillon, avait-elle dit sur un ton amusé lorsqu'il s'était agenouillé devant elle pour lui enfiler les bottes.

— Devinez ce qui fait de moi votre prince, avait-il répondu en parodiant une révérence. Vous êtes très belle, madame.

Elle lui avait offert son beau rire de gorge, comme pour le récompenser.

— Prince charmant, vous connaissez l'art de parler aux dames.

Cela ne faisait aucun doute : elle avait entendu ce genre de compliment des milliers de fois, mais elle n'avait aucun moyen de savoir à quel point ses paroles étaient sincères. Lorsqu'il se trouvait à ses côtés, il oubliait son inquiétude pour Eddie, son souci pour la santé de Tod. Elle possédait cette faculté qu'ont les enfants de vivre pleinement le présent. Cela ne voulait pas dire qu'elle fût enfantine ou puérile car, malgré la minceur de son corps, ce qu'exprimaient ses yeux d'un bleu si profond, c'était l'âme d'une femme. Et pourtant, il n'arrivait toujours pas à accepter l'attirance qu'il ressentait pour elle, car il jugeait impensable d'avoir pour compagne une gravure de mode, aussi attentionnée et gentille qu'elle fût envers un enfant malade.

« Profite donc de l'instant présent. Cesse de chercher l'absolu », se dit-il.

Par jeu, il jeta une poignée de graines aux pieds de Geena, et le regretta aussitôt en voyant un troupeau d'oies sortir de l'eau, disperser les canards, et se mettre à donner des coups de bec agressifs aux genoux de Geena.

— Il est temps de partir, dit-il en vidant le contenu du sac par terre.

Faisant de son corps un bouclier pour Tod, il prit Geena par la main et avança à grands pas au milieu des volatiles occupés à picorer avec ardeur les graines éparpillées.

— Est-ce qu'il nous reste assez de graines pour les oies des neiges ? demanda Tod.

Ils marchaient le long d'une piste bordée d'un côté par une haie d'aulnes plantés très serrés, et de l'autre par une suite de petites lagunes.

— Il m'en reste trois sacs pleins.

Et il tapota les poches bourrées de son blouson d'aviateur en laine bleue. Ils avançaient sur le haut d'une digue, il s'en rendit compte en apercevant, à travers la haie, des prairies à moitié inondées qui se trouvaient en contrebas. La main douce de Geena, enfermée dans la sienne, lui procurait une sensation des plus agréables.

— Tu es sûr que tu ne veux pas qu'on prenne le fauteuil roulant ? demanda Geena en regardant Ben pour qu'il dise quelque chose. Ta maman avait peur que tu ne te fatigues trop.

Tod leva son petit menton.

— Maman s'inquiète toujours trop.

Ben serra la main de Geena pour la rassurer.

— Nous n'allons pas aller très loin.

Il regarda, à quelques centaines de mètres devant eux, une structure de bois qui se dressait au-dessus des arbres.

— Mais on peut essayer d'aller jusqu'à la tour de l'observatoire.

Il s'obligea à ralentir un peu l'allure et à contrôler le désir instinctif d'atteindre rapidement son but, conscient que Tod ne pouvait avancer au même rythme qu'eux. Mais ce qui l'amusa beaucoup, ce fut de voir Geena s'arrêter à chaque instant pour observer une plante ou un insecte le long du chemin.

— Vous n'avez jamais songé à devenir biologiste ? lui demanda-t-il.

— Vous paraissez bien décidé à me faire quitter mon métier de mannequin et à me diriger vers un autre secteur d'activité, dit-elle en riant.

Elle s'accroupit pour contempler la carapace verte d'un énorme scarabée.

— Ce qui m'intéresse, ce n'est pas l'anatomie des insectes, ni les noms latins des plantes. Regarde, Tod, il bouge ses petites antennes pour te dire bonjour.

Elle s'adressa ensuite à Ben.

— Je suis tout simplement fascinée par tout ce qu'il y a de bizarre et de merveilleux chez les êtres vivants. C'est tellement... miraculeux.

Elle rougit, comme gênée de manifester un tel enthousiasme.

Il se demanda, encore une fois, qui était réellement cette femme. Comment pouvait-elle se passionner pour les scarabées et, en même temps, continuer de s'intéresser aux dernières couleurs des rouges à lèvres à la mode ?

— Vous avez toujours manifesté de l'intérêt pour la faune et la flore ?

— Non, répondit-elle en se relevant. Ce n'est que depuis ce qui m'est arrivé à Milan.

En d'autres termes, depuis sa fameuse « expérience ». Au cours de la semaine, il avait fait quelques recherches sur ce sujet dans des revues médicales. Mais tout ce qu'il avait pu lire se résumait à l'idée que ce phénomène n'était autre qu'une réaction de l'organisme à un manque d'oxygénation du cerveau. Geena, elle, y croyait ardemment, avec une foi presque religieuse. Il décida, pour l'heure, d'éviter d'aborder ce sujet.

— Je vais l'emporter chez moi. Je peux ? demanda Tod.

Il avait pris le scarabée dans ses mains, et regarda tour à tour Geena et Ben.

— Je vais le dresser, comme j'ai fait avec Arnie.

— Oui, tu peux, pendant quelques jours, dit Ben. A condition que tu le gardes dans une boîte avec tout ce qu'il aime : de l'herbe, des feuilles, un peu de terre.

— Super ! dit Tod, tout heureux.

— Il faudra que tu demandes à ta maman, l'avertit Geena, tout en lui donnant un sac de graines vide pour transporter son scarabée. Si elle accepte, il n'y a pas de problème.

— D'accord, dit Tod joyeusement.

Il mit l'insecte dans le sac et prit de l'avance sur eux, s'arrêtant ici et là pour ramasser une touffe de feuilles. Ben et Geena le suivaient en marchant lentement.

Arrivés à une courbe du sentier, ils s'arrêtèrent tous les deux en même temps. Tod avait disparu de leur vue, mais ils l'entendaient parler à son scarabée sur un ton joyeux.

Un coup de vent fit voler les cheveux de Geena et ils retombèrent sur ses yeux. Ben tendit la main pour les dégager, et sa main s'attarda en une caresse sur la joue.

— J'ai acheté un billet pour votre défilé de mode, lui avoua-t-il.

Elle lui sourit, et dit d'un ton taquin :

— Vous me surprenez beaucoup.

— C'est pour une bonne cause. Et pour vous dire la vérité, j'ai hâte de vous voir défiler.

Elle tourna le visage contre sa main, et il sentit la pression de ses lèvres dans sa paume. Ce contact embrasa ses sens, réveillant tous les fantasmes et les désirs qu'il caressait depuis des jours.

— Mais qu'allons-nous faire ? murmura-t-il, en respirant son parfum légèrement poivré. Nous sommes si différents l'un de l'autre !

Elle lui tendit ses lèvres tandis qu'il se rapprochait d'elle.

— Ce que nous sommes en train de faire en ce moment n'est pas mal, dit-elle.

Le désir de Ben devenait plus ardent, tandis qu'il embrassait ses lèvres pleines de douceur. Elle n'était pas du tout faite pour lui, mais elle avait un goût de lumière, de joie, de bonheur, tout simplement. Il gémit, la prit dans ses bras et intensifia son baiser. C'était ce qu'il avait désiré faire depuis l'instant où elle était entrée dans son bureau, la première fois, avec son air impertinent et sensuel et si délicieusement féminin.

— Geena, docteur Matthews, venez vite ! cria Tod. Les oies des neiges sont là.

Elle s'éloigna de lui à regret, et les mains de Ben glissèrent sur sa taille. Le médecin en lui enregistra un changement. Elle semblait avoir pris du poids. Il n'osa pas lui poser la question juste après l'avoir touchée d'un geste amoureux.

Geena courut, puis s'arrêta devant Tod pour regarder à travers un trou dans la haie. Elle jeta un coup d'œil à Ben.

— Oui, ce sont elles ! Venez...

Ben se pencha par-dessus l'épaule de Geena pour regarder à son tour, trop conscient de sa présence si proche pour vraiment se concentrer sur les centaines d'oiseaux blancs qui cherchaient leur nourriture dans les prairies inondées, au-dessous de la digue. Derrière les oies, on apercevait l'estuaire du fleuve et, encore plus loin, les eaux de l'océan scintillaient à l'horizon.

— On peut descendre et les voir de plus près ? demanda Tod avec enthousiasme.

— Il y a beaucoup d'eau, et puis on pourrait les effrayer, dit Ben.

Il fit un signe vers la tour d'observation.

— Si nous montons en haut de la tour, et si nous regardons avec mes jumelles, nous pourrons bien les voir.

Mais Ben se rendit compte que c'était plus facile à dire qu'à faire, lorsqu'ils arrivèrent à mi-chemin du sommet de la tour. Tod avait déjà épuisé son énergie pendant la marche, et il devait s'arrêter pour souffler à chaque instant. Il commençait à haleter, et deux taches rouges marquaient ses joues pâles.

— On pourrait tout aussi bien les voir d'en bas, suggéra Geena en regardant Ben anxieusement.

— Oui, dit Ben, furieux contre lui-même.

Il s'en voulait de n'avoir pas prévu que Tod allait succomber à la fatigue. Il en voulait encore plus à cette maladie qui volait son enfance à ce gosse et allait peut-être abréger sa vie prématurément. Il se força à dévier le cours de ses pensées, et radoucit sa voix.

— Qu'est-ce que tu en dis, Tod ?

— Je peux y arriver, docteur Ben. Je veux voir les oies des neiges.

Il se mordait la lèvre inférieure pour s'empêcher de pleurer. De douleur, de fatigue ou de frustration ? Comment savoir ?

Ben gravit les marches pour arriver à la hauteur de Tod.

— Monte sur mon dos, fiston. Je vais te porter jusqu'en haut.

Tod se hissa sur le dos de Ben et mit ses deux bras autour de son cou. Il était léger, beaucoup trop léger, et en quelques instants ils atteignirent le sommet de la tour. Geena aida Tod à glisser à terre, puis le serra contre elle en lui donnant un baiser, ce qui parut l'embarrasser et lui faire plaisir à la fois.

— Regarde, Tod, dit Ben en pointant le doigt devant lui. A l'est, c'est Hainesville. Je crois même que j'aperçois ta maison. Ta maman est dans la cour en train de nous faire signe.

Tod rit de bon cœur, et fit de grands signes vers les toits qui dépassaient de la cime des arbres. Ben lui fit décrire un arc de quatre-vingt-dix degrés.

— Regarde, là-bas, c'est Simcoe et, au nord, les montagnes.

— Et là-bas, qu'est-ce qu'il y a ? demanda Tod en pointant le doigt à l'ouest, vers ce qui ressemblait à l'immensité de l'océan.

— C'est l'océan Pacifique. Il s'étend à l'ouest jusqu'à Hawaii, au Japon et au sud de l'Australie.

— Quand je serai grand, je traverserai le Pacifique, déclara Tod, le regard brillant.

Puis son visage s'assombrit, et il devint silencieux.

Ben se redressa pour lutter contre la boule qui soudain lui serrait la gorge. Le petit garçon lui rappelait Eddie, lorsqu'il était enfant et ne cessait de faire des projets.

Il sortit les jumelles de sa poche, et les mit dans les mains de Tod.

— Regarde là-dedans, et dis-moi ce que les oies des neiges sont en train de faire.

Il lui indiqua comment les régler à sa vue, puis se tourna vers les montagnes. Il était le médecin de Tod, et il savait qu'il ne devait pas s'impliquer au niveau affectif. Mais comment faire autrement ?

Dieu merci, Geena prit le relais en bavardant avec Tod comme si tout était normal.

C'est là qu'il entendit l'enfant demander à Geena :

— Est-ce que je vais mourir ?

Il pivota brusquement, et vit le petit visage de Tod levé vers Geena, un peu chiffonné, mais attendant avec confiance la réponse.

Ben était sur le point d'intervenir, de parler à Tod des statistiques, de l'efficacité des divers traitements et d'une rémission probable, lorsque Geena posa la main sur la tête de Tod et lui adressa un grand sourire.

— Non, Tod, tu ne vas pas mourir, affirma-t-elle d'une voix calme et ferme. Ton heure n'est pas encore venue.

Ben la regarda fixement, sans voix, consterné. Il n'en croyait pas ses oreilles.

Les paroles de Geena produisirent un effet totalement différent sur Tod. Son visage se détendit, les petites rides qui marquaient son front disparurent, et un sourire béat se dessina sur ses lèvres de chérubin.

— Bien, dit-il.

— Il faut partir, à présent, dit Ben, avec plus de rudesse qu'il n'aurait voulu.

Il guida Tod vers l'escalier. L'enfant esquissa une protestation, mais c'était plus pour la forme que par un désir réel de rester. Ses épaules affaissées, son pas traînant accusaient visiblement la fatigue.

Pendant tout le temps que dura le retour jusqu'à la maison de Tod, Ben n'osa pas regarder Geena, de peur de ne pas pouvoir maîtriser son irritation. Tandis que Tod bavardait gaiement, Ben sentait le regard intrigué de Geena posé sur lui. Elle ne semblait pas comprendre ce qui le contrariait. Eh bien, il allait le lui apprendre ! Et cela dès qu'ils auraient déposé Tod.

Lorsqu'ils eurent laissé l'enfant chez lui, Ben redémarra, et, dès qu'ils eurent passé le coin de la rue, il se gara.

Geena jeta un regard autour d'elle.

— Pourquoi vous arrêtez-vous ici ?

Il se tourna vers elle, un bras sur le volant, l'autre posé sur le dos du siège.

— Qu'est-ce qui vous a pris de dire à Tod que son heure n'était pas venue ?

— Je vous demande pardon ? dit-elle, sans comprendre.

— Vous m'avez bien entendu. Est-ce que vous avez une idée du mal que vous pouvez faire en donnant à Tod un faux sentiment de sécurité ?

Elle secoua la tête, déconcertée.

— Ce n'est qu'un enfant. Il a besoin de se sentir en sécurité.

Ben se mit à marteler le volant.

— Nous vivons dans un monde où des tremblements de terre et des inondations peuvent effacer un village de la carte, où la maladie peut frapper un enfant innocent, sans prévenir. La sécurité est une chose qui n'existe pas, vous comprenez ?

— Qu'est-ce que j'ai fait de mal ? demanda-t-elle, en se penchant en avant pour lui planter un doigt dans la poitrine. Vous êtes bouleversé par ce qui arrive à votre frère, et je le comprends. Mais ne mêlez pas Tod à cela.

— Est-ce que vous savez, vous, les chances qu'il a, médicalement parlant ?

Il surprit une lueur dans son regard, et comprit avec un amer sentiment de triomphe qu'il venait de marquer un point.

— Ce dont Tod a besoin, c'est de se battre de toutes ses forces contre la maladie, et non de rester tranquillement assis à attendre une intervention divine.

— Vous savez bien que ce n'est pas ce que j'ai voulu dire.

— Vraiment ? Vous avez essayé de me convaincre que vous aviez vu Dieu.

— Je ne suis pas sûre que Tod le comprenne ainsi, dit-elle avec une nuance d'incertitude dans la voix.

— Peut-être qu'il n'arrive pas à le définir clairement, mais vous pouvez me croire, l'idée a fait son chemin dans son esprit. Il faut que vous disiez à Tod que vous n'êtes pas du tout en relation avec le Tout-Puissant.

Geena croisa les bras sur sa poitrine. Il était allé trop loin.

— Je crois que vous êtes en train de tout dramatiser. Je n'ai rien fait de mal, et je ne retirerai pas un mot de ce que j'ai dit.

Ben, visiblement, n'était pas satisfait.

— Je vous demande de ne plus aborder ce sujet avec lui. Il se peut qu'il oublie ce que vous lui avez dit.

— Je ne veux rien vous promettre. S'il a envie de parler de la mort, je pense qu'il en a le droit.

— Oui, mais avec des personnes compétentes, qui savent ce qu'elles disent.

La flèche atteignit son but. Elle lui jeta un regard dur, de femme blessée, avant de se tourner.

— Ramenez-moi chez moi, s'il vous plaît, dit-elle, la voix transformée par les larmes qu'elle refoulait.

Ben la reconduisit sans dire un mot, à travers les rues silencieuses, jusqu'à la grande maison victorienne qui faisait le coin. Ruth Hanson était dans son jardin, occupée à tailler ses rosiers, lorsque la voiture de Ben s'arrêta. Geena descendit sans lui donner le temps de venir lui ouvrir la portière. Elle murmura un rapide au revoir, avant de franchir en toute hâte la petite porte. Ruth lui dit quelques mots, reçut une brève réponse et, après avoir jeté un regard indécis à Ben, elle suivit Geena à l'intérieur de la maison.

C'était elle qui était dans l'erreur, cela ne faisait aucun doute à ses yeux. Mais le fait d'avoir raison ne le rendait pas plus heureux, au contraire.

— J'ai changé d'avis, déclara Greta avec défi. Je ne participerai pas au défilé de mode.

— Qu'est-ce que vous dites ? Et pourquoi ? s'écria Geena, consternée.

— Je ne veux pas, c'est tout, répondit Greta sur le ton d'une enfant obstinée.

— Mais j'ai déjà tout organisé ! Le coiffeur a décalé ses rendez-vous pour pouvoir vous prendre. La boutique est en train de rassembler un ensemble de vêtements pour les essayages. C'est pour vous une chance unique de vous libérer de cette mode dans laquelle vous vous êtes encroûtée depuis ces vingt dernières années.

— Notre personnalité est plus importante que les apparences, déclara Greta sur un ton guindé.

Geena en convenait, mais il n'empêche qu'elle était fort ennuyée par ce revirement. Avec les autres participantes, elle s'était donné beaucoup de mal pour organiser et réaliser le relookage de Greta.

— L'apparence reflète aussi la personnalité, lui lança-t-elle sèchement. Si vous revenez sur vos engagements maintenant, vous demeurez une vieille fille ratatinée, avec ses vêtements de tweed minable, dans votre aspect extérieur comme au plus profond de vous-même.

Greta devint blême.

— Si c'est là ce que vous pensez, je ne sais pas pourquoi vous vous êtes occupée de moi.

Geena émit un gémissement de regret. Elle avait été trop dure avec Greta.

— Je suis désolée. Je vous ai dit des choses vraiment horribles… Mais honnêtement, Greta, est-ce que c'est là ce que vous êtes réellement ? dit-elle en désignant son vieux cardigan informe. Vous ne pouvez pas vous contenter d'attendre, sans rien faire, que les gens reconnaissent votre véritable personnalité. Vous devez vous faire valoir, montrer aux autres que vous vous aimez, en vous mettant en valeur. Faites savoir à tous que vous êtes une personne avec qui il faut compter. Adieu tout ce qui est démodé et poussiéreux, bonjour la nouveauté et l'élégance !

Greta s'était figée dans le silence, les lèvres pincées et le regard dur ; son visage tout entier semblait s'être rabougri comme une vieille pomme.

Geena leva les bras au ciel.

— D'accord, Greta. On oublie tout. Personne ne vous oblige à faire quoi que ce soit si vous n'en avez pas envie. On se voit plus tard.

Geena était en train de refermer la porte derrière elle, lorsqu'elle entendit un bruit qui ressemblait à des pleurs. Elle s'arrêta, et l'entendit de nouveau. Elle ne s'était pas trompée. En se retournant, elle vit Greta assise sur sa chaise, les pieds joints, les mains croisées sur les genoux, le visage inondé de larmes.

Greta renifla et adressa à Geena un regard très malheureux.

— Je suis d'accord. J'accepte de présenter les robes. Dis-moi simplement ce que je dois faire pour être belle.

Geena sourit.

— Je vous promets que vous serez si belle que même vos voisins auront du mal à vous reconnaître.

Vingt minutes plus tard, Greta était bien installée dans un fauteuil du salon de coiffure.

— Alors, que faisons-nous aujourd'hui ? demanda la styliste Wendy Harmon.

Elle passa les doigts dans la chevelure grise et bien apprêtée de Greta, en défaisant l'ordonnance de ses boucles, ce qui suscita chez celle-ci des murmures de protestation.

— Juste un petit rafraîchissement, dit Greta avec insistance, en essayant de remettre ses boucles en place.

— Le grand jeu, déclara Geena avec la même fermeté, défiant du regard son ex-professeur dans le miroir du salon. Faites-lui une coupe moderne, un peu relevée derrière et gonflée devant, et ensuite une jolie couleur brune qui ira bien avec ses yeux.

— Châtain foncé avec des reflets roux ? suggéra Wendy.

— Ce sera parfait.

Geena surprit le regard ébahi de Greta dans la glace, et lui adressa un sourire rassurant.

— Installez-vous bien et détendez-vous, Greta. C'est moi qui m'occupe de tout, maintenant.

Deux heures plus tard, Greta, enfermée dans un silence glacial, observait Wendy, occupée à sécher ses cheveux en formant un amas de boucles qui encadraient son visage et adoucissaient ses traits anguleux.

— Vous avez des cheveux fantastiques, lui dit Wendy en mettant du produit coiffant aux endroits stratégiques. Ils sont si épais et si bouclés !

Geena observait, jetant un coup d'œil de temps à autre, pendant qu'elle posait du vernis abricot sur ses ongles. Sans ses cheveux gris, et avec ces reflets roux qui éclairaient le châtain foncé, Geena se rendit compte que Greta faisait bien dix ans de moins que son âge, et elle le lui dit.

— Je ne me reconnais plus moi-même, avoua enfin Greta.

— Mais est-ce que cela vous plaît ?

— Je ne sais pas trop.

Après un dernier coup de brosse sur le cou dégagé de Greta, Wendy lui ôta la blouse.

— Et voilà !

— Merci, Wendy, dit Geena. Elle est magnifique.

— Mmm…, marmonna Greta.

Elle descendit du fauteuil en jetant des regards méfiants dans la glace, comme si elle n'arrivait pas à croire que c'était vraiment elle. Elle ouvrit son sac à main.

— Combien est-ce que cela va me coûter ?

— Rien du tout, dit Geena, en passant devant elle et en posant sa carte de crédit sur le comptoir. C'était mon idée, et c'est moi qui offre.

Greta voulut protester, mais Geena l'interrompit.

— Je vous en prie, acceptez mes remerciements pour votre aide dans… vous savez quoi, dit-elle en jetant un coup d'œil vers Wendy.

— Non, je ne sais pas quoi, déclara Greta qui ne comprenait pas.

— Peu importe. Si vous m'attendiez dehors ? J'en ai juste pour une minute.

Geena gribouilla sa signature sur le reçu de son paiement et se hâta de rejoindre Greta. Elle la prit par le bras avant qu'elle ait pu monter dans sa voiture.

— Nous n'avons pas encore terminé, Greta.

— Quoi encore ? demanda Greta. Vous m'avez déjà rendue complètement méconnaissable.

Sous le ton agressif, Geena décela de la crainte.

— Et alors, quel mal y aurait-il ? Non, ne répondez pas tout de suite. On a toujours besoin d'un peu de temps pour s'habituer au changement. A présent, il vous faut de nouveaux vêtements pour aller avec votre nouvelle coiffure, ajouta Geena en la guidant jusqu'à la boutique de mode à l'enseigne de Briony.

Greta rua dans les brancards.

— Il n'est pas question que j'achète une nouvelle garde-robe, et il n'est pas question que je te laisse payer non plus !

— On offre souvent aux mannequins les modèles qu'ils présentent, dit Geena. J'ai parlé de votre relookage à Briony, et elle est d'accord pour vous faire une remise importante, car la publicité va compenser la perte de revenu.

Elle espérait bien faire un marché avec Briony, et payer le supplément à l'insu de Greta. Elle ne savait pas très bien pourquoi elle se donnait tout ce mal pour Greta. En tout cas, cela devait avoir un lien avec les paroles de sa mère, et aussi avec une Barbie médecin offerte à une petite fille en deuil.

— Bon, d'accord, acquiesça Greta avec mauvaise grâce. A condition que vous ne m'habilliez pas trop jeune pour mon âge.

— Voyons, Greta, protesta Geena d'une voix douce. Briony vend des vêtements chic et modernes, destinés aux femmes mûres. Personne ne songe à vous transformer en une jeune fille de vingt ans.

En effet, lorsque Briony en eut fini avec elle, Greta avait l'allure d'une très séduisante quadragénaire. La ligne moderne et élégante de sa tenue flattait sa silhouette et mettait sa carnation en valeur.

Geena se demandait ce qui pouvait bien lui passer par la tête, tandis qu'elle se tenait devant la glace, se tournant dans tous les sens pour mieux se regarder, avec l'expression de quelqu'un qui est prêt à fondre en larmes.

— C'est… C'est…

Geena prit une profonde inspiration. Elle se sentait épuisée après cette longue journée passée à s'occuper de Greta, et, si son ex-professeur s'avisait de prononcer une autre parole désagréable, elle allait exploser.

— C'est quoi, Greta ?

— C'est incroyable. Je suis… je suis presque belle.

Geena poussa un long soupir de soulagement.

— Pas « presque », vous êtes absolument superbe ! Dire que pendant toutes ces années vous avez caché votre beauté !

Geena s'arrangea avec Briony, pendant que Greta récupérait ses vieux vêtements dans le salon d'essayage, après quoi elles quittèrent la boutique, les mains remplies de sacs.

— Et maintenant, que fait-on ? demanda Greta avec enthousiasme. Je suis prête à tout.

Geena eut un sourire.

— Désolée, mais ce sera tout pour aujourd'hui. Il est 17 h 30, et les boutiques vont fermer.

— Regardez-moi, dit Greta avec un petit rire. Sur mon trente et un, et nulle part où aller !

— Allons prendre un café, dit Geena sans réfléchir. Je suis attendue pour dîner chez Kelly, mais elle ne m'en voudra pas d'être un peu en retard.

Le visage de Greta s'illumina aussitôt, et elle fit une proposition audacieuse.

— Ou quelque chose de plus fort, peut-être, comme un cocktail à l'hôtel ?

— Oh, Greta, vous n'êtes pas raisonnable ! s'exclama Geena en riant.

Elle ouvrit le coffre de la voiture pour y entasser les sacs.

— Nous allons marcher un peu. Il faut que tout le monde vous voie.

Greta esquissa une protestation, mais Geena la réduisit au silence.

— Il n'y a aucun mal à ça.

En arrivant au coin du pâté de maisons, elles tombèrent sur Orville qui était en train de fermer son salon de coiffure.

— Salut, Geena.

Il jeta un coup d'œil à Greta, puis la regarda de nouveau.

— Greta Vogler ? C'est bien vous ? Vous êtes...

Il hésita, comme s'il ne trouvait plus le mot, puis déglutit, sans cesser de la regarder.

— Jolie. Vous êtes vraiment jolie.

Geena se dit qu'il aurait pu mieux faire, mais Greta rougit comme s'il l'avait proclamée reine de beauté.

— Merci, Orville. Geena m'a fait relooker.

— Et c'est très réussi, si je puis dire, déclara-t-il galamment, en reprenant ses esprits. Et où donc allez-vous par cette belle soirée, mesdames ?

Greta parut un peu embarrassée. Mais Geena l'invita immédiatement à prendre un verre avec elles à l'hôtel.

— Ce n'est pas de refus, dit Orville en se mettant à marcher au côté de Greta.

— Oh, regardez ! C'est le Dr Matthews, là-bas ! s'écria Greta.

Le cœur de Geena s'arrêta. A quelques mètres de là, Ben sortait du drugstore Blackwell.

Il se préparait à monter en voiture quand il les aperçut, et il eut une seconde d'hésitation. Geena ralentit le pas. Depuis leur dernière rencontre, elle redoutait de se trouver en face de lui, même si elle souhaitait une réconciliation. Elle suspectait Ben d'être trop à cheval sur ses principes pour revenir sur sa position. Quant à elle, elle se savait trop entêtée pour admettre qu'elle avait eu tort.

D'ailleurs, pourquoi l'admettrait-elle ? Elle avait agi uniquement poussée par son affection pour Tod, et quel mal pouvait-il y avoir à cela ?

— Docteur Matthews ! appela Greta gaiement. Nous allons prendre un cocktail à l'hôtel. Voulez-vous vous joindre à nous ?

10.

— Mademoiselle Vogler ? dit Ben. Je ne vous aurais jamais reconnue... Je vous trouve particulièrement jolie, aujourd'hui.

— C'est grâce à Geena, répondit Greta avec un grand sourire. Elle sait faire des miracles.

— Je n'ai rien fait, protesta Geena.

— A part que vous m'avez entraînée à mon corps défendant dans le XXIᵉ siècle. Alors ? Docteur, ajouta-t-elle avec un petit sourire enjôleur, joignez-vous à mon entrée dans le monde.

— Je regrette, mais j'ai un rendez-vous que je ne peux remettre, dit Ben en parvenant à paraître contrit. Mon frère et moi avons prévu de nous contacter au téléphone tous les vendredis à 18 heures.

Geena eut un pincement au cœur.

— Est-ce qu'on a retrouvé Eddie ?

Ben fronça les sourcils, le regard baissé sur ses chaussures.

— Non. Mais j'ai envie d'être chez moi, au cas où il appellerait.

— Oh, je comprends, répondit-elle.

— Avez-vous revu Tod, depuis samedi dernier ? lui demanda Ben.

Sous l'effet de la tension nerveuse, elle redressa brusquement les épaules et la tête.

— Non. Mais Carrie doit travailler toute la journée, demain. J'ai donc invité Tod chez moi.

— Elle m'en a parlé lorsque je lui ai demandé s'il pouvait sortir avec moi l'après-midi, dit Ben. Si vous n'y voyez pas d'inconvénient, naturellement.

— Bien sûr que non.

— Je viendrai le prendre chez vous après le déjeuner.

Il lui vint à l'esprit qu'ils se comportaient exactement comme des parents qui avaient la garde alternée de leur enfant.

— D'accord.

— Très bien, alors.

Ils avaient du mal à détacher leurs regards l'un de l'autre, et Geena pensait, tour à tour, au baiser échangé au refuge des oiseaux et à la dispute qui avait suivi, à leur retour. Si le baiser n'avait pas été aussi merveilleux, la querelle lui aurait fait moins mal. Elle aurait tant aimé qu'ils puissent se retrouver et oublier leurs différends en s'embrassant ! Mais Ben paraissait beaucoup trop inflexible. Il affichait l'aspect officiel de l'autorité médicale, plutôt que celui de l'homme dévoué et soucieux de ses malades, qu'elle aimait tant.

— Geena, si ta sœur t'attend, ne te crois pas obligée de rester, dit Greta. Orville me tiendra compagnie.

— Ce sera un plaisir, dit Orville avec empressement.

— Très bien. Je déposerai vos courses chez vous en passant, Greta. Je peux les laisser sur le perron ?

— Mets-les à l'intérieur, la porte est ouverte.

Geena fit un clin d'œil amical à Orville.

— Veillez à ce qu'elle ne rentre pas trop tard.

Tandis que Greta rougissait, Orville eut un petit rire. Quant à Ben, il lui adressa un « A demain » assez brusque.

Elle se dirigea vers sa voiture, mécontente d'être brouillée avec Ben, et encore plus mécontente de devoir reconnaître qu'il avait raison.

— J'aime bien celle-ci, déclara Tod en riant devant le reflet que lui renvoyait le miroir.

Il secoua la tête dans tous les sens, en faisant voleter la perruque rose qu'il était en train d'essayer.

Tod semblait affecté par la perte de ses cheveux à la suite de son traitement et, pour le distraire, Geena avait eu l'idée de sortir toutes ses perruques, et de s'amuser à les lui faire essayer.

— Je trouve qu'elle te va bien. Elle est assortie à la couleur de tes yeux.

Cela provoqua chez Tod des éclats de rire. Geena le prit dans ses bras et le serra contre elle. Elle admirait sa force de caractère et son courage, que la maladie n'arrivait pas à entamer.

Ben apparut alors dans l'encadrement de la porte et se refléta dans la glace. Gran avait dû lui ouvrir et lui donner la permission de monter dans la chambre. Geena réalisa soudain que la pièce était un véritable fouillis, avec des vêtements éparpillés sur le lit défait et des perruques entassées sur sa coiffeuse. A vrai dire, elle n'avait jamais prétendu être une maniaque de l'ordre.

— Entrez.

— Salut, Ben, dit Tod joyeusement. Regarde-moi.

— Salut, Tod, tu as l'air d'un vrai petit fou.

Ben traversa la pièce, et prit dans la main une perruque à la Cléopâtre.

— Vous portez vraiment tous ces trucs-là ? demanda-t-il à Geena.

— Je les ai portés. Et il n'est pas impossible que ça m'arrive encore. Pourquoi ?

Avec un petit sourire moqueur, il fit tourner la perruque au bout de ses doigts.

— Je demande à la vraie Geena Hanson de bien vouloir se montrer.

Geena se tourna vers l'image que lui renvoyait le miroir — une femme svelte, vêtue d'une robe de soie bordée de dentelle, parfumée mais sans aucun maquillage. Etait-elle à ce point mystérieuse ?

— Je la vois, dit-elle. Pas vous ?

Il ne répondit pas, et s'adressa à Tod.

— Je t'ai apporté un chapeau que tu peux porter.

Il sortit un bonnet aux couleurs vives, avec des pattes pour protéger les oreilles et un pompon.

— C'est ce que portent les garçons dans les montagnes du Guatemala.

— C'est super, dit Tod en retirant la perruque rose pour mettre le bonnet à la place. Est-ce que Geena peut venir avec nous, cet après-midi ?

— Oh, je ne peux pas, répondit Geena précipitamment, avant que Ben ne soit obligé de refuser. Merci quand même, ajouta-t-elle en commençant à ranger les perruques.

Elle n'avait surtout pas envie de passer l'après-midi avec Ben, à faire comme si tout allait bien entre eux, simplement pour faire plaisir à Tod. Elle était certaine que Ben ressentait la même chose qu'elle.

— Bien sûr qu'elle peut venir, dit Ben. Geena ?

— Tod, tu devrais descendre dans la cuisine et demander un biscuit à Gran, avant de partir. Ben et moi arrivons dans une minute.

— D'accord, répondit Tod en se précipitant hors de la chambre, sans même les regarder.

— Vous me demandez de venir avec vous uniquement pour lui faire plaisir, n'est-ce pas ? demanda Geena.

— En partie, oui. Cela vous pose problème ?

Est-ce que cela lui posait problème ? s'interrogea-t-elle. En fait, il dépendait d'elle que cela soit un problème ou pas.

— Que voulez-vous dire par « en partie » ? demanda-t-elle.

Le visage de Ben s'assombrit, et son front devint soucieux.

— Eddie n'a toujours pas appelé.

Son regard était beaucoup plus éloquent que ses paroles. Il lui disait qu'il avait besoin d'elle, de sa compagnie, et cela l'émut. Mais pourquoi diable ne le lui avouait-il pas franchement ? Elle posa une main sur sa manche.

— Vous auriez dû me téléphoner, hier soir.

— Vous n'étiez pas chez vous. Et puis même, qu'auriez-vous pu faire ?

— Etre une amie, dit-elle simplement. Quelqu'un à qui parler. Une oreille attentive.

Elle vit les muscles de sa mâchoire se contracter, comme s'il luttait pour garder son sang-froid. Il détourna le regard.

— Je suis en train de perdre l'espoir de le revoir vivant. Cela fait des semaines, et s'il était vivant, il aurait trouvé moyen de me contacter, à l'heure qu'il est.

— Il peut y avoir de multiples raisons à son silence.

Ben battit des paupières et pressa la paume de sa main sur ses yeux.

— C'était un garçon formidable. Il n'était pas seulement mon petit frère. C'était... mon meilleur ami.

— Ne parlez pas de lui au passé, dit Geena en s'avançant vers lui.

Elle l'attira et le serra contre elle, longuement, jusqu'à ce que son corps contracté se détende, et qu'il l'entoure de son bras. Il posa sa joue contre la tempe de Geena, et elle sentit la poitrine de Ben pousser un profond soupir. Elle éprouvait un étrange sentiment de réconfort. C'était la première fois depuis longtemps qu'un homme la serrait contre lui, et c'était bon.

— Ne perdez pas espoir, Ben, lui murmura-t-elle. Il reviendra, j'en suis persuadée.

Ben s'écarta un peu, avec un sourire contrit.

— J'espère que vous dites vrai... mon amie.

Il posa la main sur sa joue, et la chaleur de ce contact lui parcourut le corps.

— Tod et moi serions ravis que vous veniez avec nous aujourd'hui, si vous le voulez bien, ajouta-t-il.

— Avec grand plaisir.

Ben descendit retrouver Tod, tandis que Geena remettait un peu d'ordre avant de les rejoindre dehors. Elle s'emmitoufla pour se protéger de la brise froide d'octobre et s'installa sur le siège avant de la Saab. Ben les emmena hors de la ville, par River Road, traversa l'autoroute, et emprunta une route secondaire qui longeait la rivière. Elle se retourna sur son siège pour regarder Tod, puis Ben.

— Où allons-nous ?

— Tod ne vous a rien dit ? demanda Ben.

Ce fut Tod qui répondit.

— Les grands changent parfois d'avis, et j'en ai pas parlé pour pas porter la poisse.

Il interrogea Ben du regard dans le rétroviseur, et Ben fit un signe d'assentiment.

— Alors, dis-moi, insista Geena. A présent, j'ai hâte de savoir.

— Ben va acheter un chien ! s'écria Tod, tout excité. Et je pourrai aller chez lui, m'amuser avec le chien, le caresser, et tout...

Ben émit un petit rire devant l'enthousiasme de Tod. Geena jeta un coup d'œil à son profil, sa puissante mâchoire, son nez droit et son grand front. Il était aussi beau que généreux, se dit-elle.

— C'est chouette ! s'exclama-t-elle. J'adore les chiens. Je suis ravie d'être venue avec vous !

Ben ralentit en arrivant à une intersection, pour laisser passer un tracteur, puis consulta un morceau de papier où était indiquée la direction à prendre.

— Le refuge se trouve à droite, lui dit Geena. A peu près à un kilomètre d'ici.

Ben tourna, et quelques minutes plus tard ils empruntaient la longue allée de gravier. Ils entendaient déjà les aboiements des chiens et quelques hurlements. Ben stationna devant le bâtiment de brique, et ils descendirent.

La lueur de joie qu'elle lut dans le regard de Ben la fit sourire. Il était tout aussi enthousiaste que Tod.

— J'aurais dû me douter que vous aimiez les chiens.

— J'ai toujours eu un chien, quand j'étais enfant. Mais dès que je suis entré en faculté de médecine, et que j'ai fait mon internat, je n'ai plus eu le temps de m'en occuper. Puis je suis parti au Guatemala, et j'habitais en ville. Un chien n'aurait pas été heureux.

Geena s'arrêta devant l'entrée.

— Dois-je comprendre que vous n'avez pas l'intention de retourner vivre en ville ?

Il leur ouvrit la porte pour les laisser passer.

— Je crois, en effet. Hainesville est une communauté florissante. Il y a largement assez de travail pour deux médecins. Si Brent Cameron est d'accord.

« Très intéressant », songea Geena.

Il n'y avait personne à la réception, et ils franchirent les doubles portes qui menaient aux chenils. Ils se trouvèrent en présence d'un homme trapu, aux cheveux blonds qui retombaient sur son col. Il était en train de balayer l'allée centrale qui séparait les cages, et leur tournait le dos. Tod courut vers la première cage, et reçut un accueil enthousiaste de la part d'une grosse chienne au pelage jaune et épais qui battait la mesure avec sa queue.

— Bonjour, dit Geena en s'adressant à l'employé de la fourrière.

Elle écarquilla les yeux de surprise lorsque ce dernier se retourna.

— Dave ! Je ne savais pas que tu travaillais ici !

— Salut, Geena. Je fais des ménages le matin, et je travaille ici l'après-midi.

— Est-ce que tu es toujours pompier volontaire ?

Dave s'appuya sur son balai et contempla Geena avec un sourire plein d'adoration.

— Oui, le week-end seulement. Mais il me reste assez de temps pour t'emmener manger une pizza. Tu n'as qu'un mot à dire.

— Dave, je te présente Ben. Il veut acheter un chien.

Ben fit un signe de tête à Dave, puis alla rejoindre Tod qui se faisait lécher les doigts à travers la grille de protection. Geena le suivit. La grosse chienne semblait à la fois douce et majestueuse. Son museau et sa gueule étaient marron foncé, alors que ses longs poils, qui ressemblaient à une crinière de lion, avaient une belle couleur dorée, avec des pointes d'un roux foncé. Le bout de ses oreilles dressées était replié, et lui donnait une expression à la fois détendue et vigilante.

— Elle vous supplie du regard de l'emmener avec vous, dit Geena en s'accroupissant. Regardez ! Sa queue vous parle aussi, elle dit : « Je serai un bon chien. »

— Ce n'est pas un chien, c'est un ours, dit Ben en présentant ses doigts au chien pour les lui faire renifler.

Geena avança vers la cage suivante. Trois petits chiots noirs, tout grassouillets, roulaient les uns sur les autres en remuant leur petit bout de queue.

— Ils sont adorables !

— Ces trois-là sont de la même portée. Ce sont des femelles. Nous n'avons pas beaucoup de chiots, et ils partent très vite.

Dave rangea son balai et s'approcha des cages.

— Celle-ci, par contre..., dit-il en désignant la chienne aux longs poils dorés, tout en secouant la tête.

— Elle va être euthanasiée ? demanda Geena.

Dave acquiesça.

— Oh, Ben... Il faut que vous l'achetiez, dit-elle.

— Elle est magnifique, docteur Ben, renchérit Tod.

— Est-ce que ses maîtres ne vont pas venir la chercher ? demanda Ben.

Dave haussa ses lourdes épaules tombantes.

— Ils ne se sont pas manifestés jusqu'à présent. Elle avait un collier, mais sans plaque. Elle s'est probablement perdue pendant que ses maîtres étaient en vacances dans la région. Nous ne pouvons garder les animaux que pendant trente jours. Après quoi, nous sommes obligés de les supprimer.

— J'aimerais mieux acheter un chien plus jeune, que je pourrais dresser.

Ben poursuivit sa visite des cages, en examinant longuement chaque bête. Lorsqu'il fut arrivé au bout de la rangée, il se retourna. La chienne émit une sorte de gémissement sourd, et Ben eut l'impression qu'elle souriait.

— Elle en a pour combien de temps ? demanda-t-il à Dave.

Dave jeta un coup d'œil à la date qu'indiquait sa montre.

— Elle est arrivée ici le 5 septembre. Nous sommes le 4 octobre. Je vous laisse faire le calcul.

Tod tira Ben par la manche.

— On ne peut pas la laisser mourir, docteur Ben.

Ben considéra le petit garçon, et Geena comprit que la partie n'était pas loin d'être gagnée.

— C'est vrai, tu as raison, finit par dire Ben. Je ne peux pas.

Dave ouvrit la cage sans perdre un instant.

— Vous venez de vous acheter des instants de bonheur.

Geena donna un coup de coude à Ben et lui sourit.

— Vous voyez que même les médecins ont besoin d'un peu de secours cosmique de temps en temps.

Ben prit la chienne par le collier et la regarda dans les yeux.

— Je t'appellerai Ursula.

Le regard de Tod brillait de joie, et Geena éprouva un sentiment de tendresse pour Ben qui avait rendu le petit garçon si heureux. Dave fit sortir le chien de la niche. L'homme et l'enfant se penchèrent en même temps pour entourer de leurs bras son cou hirsute.

Geena se tourna vers Dave.

— Combien coûtent les chiots ?

— Cinquante dollars chaque, plus les frais de stérilisation et d'implant d'une puce électronique d'identification.

— Je prends les trois.

— Les trois ? demanda Ben, surpris.

— Ouais ! Super ! s'écria Tod.

Geena eut un petit sourire penaud.

— Je sais ce que c'est d'avoir été séparée de mes sœurs. Je ne veux pas faire vivre ça à ces bébés chiens.

Dave trouva un carton suffisamment grand pour contenir les trois chiots qui ne cessaient de s'agiter. Il le garnit de papier journal.

— Je vais vous donner des bons. Lorsque les chiots seront assez grands pour cela, vous les emmènerez chez le vétérinaire pour les faire stériliser et leur mettre la puce.

Sur le chemin du retour, ils s'arrêtèrent au supermarché pour acheter des aliments pour chien et tout l'attirail nécessaire : des bols, des laisses et des colliers antipuces. Ensuite ils déposèrent Tod chez lui, en lui promettant qu'il pourrait venir voir les quatre chiens dès le lendemain.

— Mais qu'est-ce que vous allez faire de ces trois chiens ? demanda Ben tandis qu'il se garait devant la maison de Gran.

— Oh, je trouverai bien une idée, répondit Geena en souriant.

— J'ai l'impression que vous en avez déjà une. Je vais vous porter le carton.

— Merci. Oh, je suis contente, Kelly est là..., dit Geena en apercevant la voiture de sa sœur. J'ai hâte de voir sa réaction quand elle découvrira son chiot.

Ben leva les sourcils.

— Vous avez bien dit « son » chiot ?

184

Geena lui lança un regard plein de malice.

— Et surtout ne dites pas un mot ! Elle va le regarder, et son instinct maternel fera le reste.

Ben réussit à sortir le carton de l'arrière de la voiture, en se tordant le cou pour éviter les trois truffes humides et les trois langues qui le léchaient par-dessus les bords du carton.

— Je reviens tout de suite, dit-il à Ursula, avant de suivre Geena à l'intérieur de la maison.

En pénétrant dans la grande cuisine, ils virent qu'Erin était venue avec Kelly, et qu'elles avaient emmené tous leurs enfants. L'arrivée des trois petits chiens au milieu des neuf membres féminins de la famille Hanson provoqua une telle explosion de cris perçants, et une telle agitation, que Ben eut envie de se boucher les oreilles.

— Pour l'amour du ciel, ma fille ! gémit Gran à l'intention de Geena. Qu'est-ce que nous allons faire de trois chiens ?

Geena mit un chiot dans les bras de ses nièces.

— Je ne crois pas que ce sera un problème.

Elle gratta les oreilles de celui que Tod avait préféré.

— Ce petit-là reste avec moi.

Les chiots étaient si remuants que les fillettes s'assirent par terre et les laissèrent courir dans tous les sens. Ben vint au secours d'Erik, et le sortit de sa poussette avant que le pauvre bébé ne soit envahi par les chiots et pris d'assaut par leurs trois langues.

— Il y a beaucoup trop d'œstrogènes dans l'air de cette pièce, tu ne trouves pas mon petit gars ? dit Ben à Erik, en le mettant à l'abri derrière la table de la cuisine.

— Merci, Ben, dit Erin par-dessus la tête des filles de Kelly.

Elle baissa les yeux et poussa un hurlement.

— Oh, non ! Ce chiot a fait pipi sur mes chaussures ! Robyn, la fille aînée de Kelly supplia Geena.

— Est-ce qu'on peut en avoir un, tatie Geena ?

— Oui ! S'il te plaît ! renchérit Beth, accompagnée par les cris des deux jumeaux.

— C'est à votre maman d'en décider, dit Geena pour couper court.

— Nous avons déjà un chien ! protesta Kelly.

Mais elle se mit à rire lorsque Robyn lui mit dans les bras un des petits chiots tout remuant. L'animal fourra sa truffe sous le menton de Kelly, et celle-ci se mit à lui parler comme à un bébé.

— Tu es mignon, toi... Oh, oui, tu es le plus gentil !

— Tu fonds encore une fois, Kel ? dit Geena en jetant un regard de triomphe à Ben.

Celui-ci roula les yeux et s'adressa sur un ton taquin à Erik.

— J'espère que tu m'écoutes attentivement, mon pote. La faiblesse du cœur féminin n'a d'égale que la faiblesse de leur cerveau.

Par-dessus le tollé d'indignation que cette remarque provoqua, Geena parvint à dire :

— Et qui a ramené chez lui le plus gros animal de tout le chenil ?

— Il ne lui restait plus qu'un jour à vivre, se défendit Ben.

— Vous êtes un héros, déclara Miranda.

Elle se tourna ensuite vers Erin, qui essayait de nettoyer sa chaussure au-dessus de l'évier avec une éponge.

— On peut en prendre un, nous aussi ?

— Nous habitons sur une péniche, tu l'as oublié ?

— Les chiens savent nager. Et puis, les Mackenzie, sur l'autre rive, ont un chien. Et puis aussi, nous allons bientôt déménager pour vivre dans une maison, pour éviter que Erik ne tombe à l'eau quand il saura marcher. Maman, s'il te plaît ! supplia Miranda.

— Demande à ton père, répondit Erin avec un soupir.

— Je peux utiliser ton téléphone, Gran ?

Ben sentit qu'Erik se tortillait dans ses bras et, en baissant les yeux, il s'aperçut que le bébé attrapait les cordons qui pendaient du capuchon de son blouson et essayait de les porter à la bouche.

— Non, ne fais pas ça, lui dit-il doucement.

Le bébé lui sourit, s'efforçant de provoquer un sourire de sa part. C'était une chose qui le surprenait toujours chez les tout petits.

Il sentit un regard posé sur lui et, en levant les yeux, il s'aperçut que Geena l'observait. Elle sourit en les regardant tour à tour, lui et le bébé. Tout à coup, il eut l'impression d'être piégé dans une scène un peu trop familiale à son goût.

— Je crois que mon chien est en train de me réclamer, dit-il en se levant pour remettre Erik dans les bras de sa mère. Au revoir tout le monde. Amusez-vous bien avec vos petits chiots.

— Ben ! appela Kelly avant qu'il ne sorte. Max aimerait savoir si vous voulez vous joindre à lui et Nick dans l'équipe de basket masculine.

— Pourquoi pas ? Dites-lui de me passer un coup de fil. A propos, la maison me plaît beaucoup, mais j'aurais peut-être dû me renseigner pour savoir si je pouvais avoir un chien.

— Je connais le propriétaire. Je suis sûre qu'il n'y a pas de problème. Est-ce que le plombier est passé pour réparer l'évier ?

— Oui. Mais je m'étais déjà débrouillé tout seul.

— Lorsque vous serez prêt à acheter, ajouta Kelly avec un sourire en direction de Geena et d'Erin, je suis spécialisée en logements pour futurs beaux-frères.

Ben, ne trouvant rien à répondre, se contenta de faire un petit signe de tête et de dire au revoir de la main.

Geena l'accompagna jusqu'à la porte et sortit avec lui sur le perron.

— Ne faites pas attention à Kelly. Elle adore m'embarrasser.

— De quoi parlait-elle ?

— Oh, quand Nick est arrivé en ville, elle lui a trouvé une péniche à louer. Ensuite, Erin et lui sont tombés amoureux et ils se sont mariés.

Le visage de Geena prit une teinte rosée à la pensée de ce qu'impliquaient les propos de Kelly.

— Naturellement, cela n'a rien à voir avec nous deux.

— Naturellement.

Lui et Geena avaient bien assez de problèmes, sans que des membres de sa famille se mêlent de vouloir les marier.

Un hurlement leur parvint de la voiture : c'était Ursula qui avait réussi à passer le museau par la fenêtre. Ben poussa un soupir.

— Je me demande si je ne vais pas regretter d'avoir pris ce chien.

— Je crois que vous avez fait une très bonne action. Ben, je me demandais…

— Oui ? dit-il, en gardant un œil sur la voiture.

En effet, Ursula avait passé la tête dans l'ouverture de la vitre, et gémissait bizarrement.

— J'ai ce... « truc » qui est prévu pour le 10. Je me demandais si vous accepteriez d'être mon cavalier.

— Un truc ? Quel genre de truc ?

— Une soirée. Dîner, bal, une réunion d'anciennes élèves.

Un hurlement noya ses derniers mots. Un homme et une femme qui passaient sur le trottoir d'en face s'arrêtèrent, et la femme montra du doigt la voiture de Ben.

— Doucement, Ursula. J'arrive ! cria-t-il en direction du chien. Ce n'est pas une soirée discothèque, n'est-ce pas ? demanda-t-il à Geena.

— Rien à voir. C'est habillé, quand même.

— Je n'ai pas toujours vécu dans les montagnes du Guatemala, vous vous en doutez. Je peux me débrouiller pour dénicher un smoking, si c'est nécessaire.

— Un costume et une cravate, ça ira très bien. Alors, vous m'accompagnez ?

— Où avez-vous dit que ça se passerait ? demanda-t-il, en couvrant les gémissements d'Ursula.

— A l'hôtel de ville. Il s'agit de la dixième réunion des anciennes de mon lycée.

Elle fit une grimace en le voyant écarquiller les yeux et ouvrir grand la bouche.

— Je serais ravi de vous y accompagner.

Elle se détendit et laissa échapper un soupir de soulagement.

— Merci, Ben. Vous êtes formidable.

Avant qu'il puisse s'élancer pour dévaler les marches, elle se pencha en avant et l'embrassa. Il reçut une impression de lèvres douces, de parfum fleuri et épicé, et de regard bleu. Il fit un pas vers elle, dans l'intention de lui donner un vrai baiser, mais ce fut le moment que choisit Ursula pour pousser un nouveau hurlement.

A contrecœur, il chercha ses clés dans la poche avant de se précipiter vers sa voiture.

— Je ferais mieux d'y aller ! lui cria-t-il.

Une fois rentré chez lui, il amena Ursula jusqu'au perron de la cuisine, avec l'intention de la laisser hors de la maison, le temps de savoir s'il aurait l'autorisation de garder un animal à l'intérieur.

— Assis, ordonna-t-il à Ursula en lui montrant du doigt le sol.

Il fut assez surpris de la voir obéir. Il entra dans la maison et fouilla sa malle à la recherche d'une vieille couverture en laine. Bien pliée et bien calée dans un coin du perron couvert, elle faisait un lit tout à fait convenable. Il alla chercher un bol d'eau ainsi qu'un bol de nourriture, et les posa à côté de la couverture.

Elle lui lécha affectueusement la main, puis renifla la couverture minutieusement. Satisfaite, elle décrivit deux cercles avant de se coucher avec un profond soupir, comme pour signifier qu'un déménagement occasionnait beaucoup de fatigue, et qu'elle souhaitait à présent prendre un peu de repos.

Ben retourna à l'intérieur. En remettant en place tout ce qu'il avait sorti de la malle, il tomba sur une boîte de diapositives prises dans son village du Guatemala. Il les fit glisser dans la visionneuse, et se mit à regarder les images de ces deux années passées là-bas. A la vue de certains visages, sa gorge se serra de tristesse, car il savait qu'il ne reverrait plus tous ses patients et ses amis. Les maisons de pisé blanchies à la chaux et les costumes bigarrés des villageois lui rappelèrent de bons souvenirs. Il tomba ensuite sur une diapo de son frère, avec sa tignasse blonde, le sourire de ses dents blanches, un coup de soleil sur le nez, tandis qu'il posait devant le dispensaire.

Les yeux de Ben se remplirent de larmes.

— Bon sang, Eddie ! murmura-t-il. Appelle-moi, espèce d'idiot... J'ai besoin de savoir que tu vas bien.

11.

Geena entendit sonner à la porte d'entrée, et se précipita pour ouvrir, en rajustant l'unique bretelle de sa robe de taffetas noir aux épaules dénudées. Elle s'arrêta dans le hall, le temps de calmer les battements désordonnés de son cœur et de vérifier sa coiffure dans la glace, puis elle ouvrit la porte.

— Bonsoir.

Le ton de Ben était aussi formel que son costume de soirée impeccablement coupé. Elle eut l'impression d'entendre un claquement de talons lorsqu'il lui offrit un gardénia blanc.

Elle respira son parfum délicieux, et s'aperçut que ses mains tremblaient, aussi le lui rendit-elle.

— A vous l'honneur.

Ses phalanges lui effleurèrent la peau tandis qu'il prenait le bord de sa robe entre les doigts pour épingler la fleur. Mais, pour une fois, ce n'était pas sa présence rapprochée qui la rendait nerveuse.

— La fleur au corsage, et tout, et tout ! dit-elle avec un petit rire bizarre. J'ai l'impression de me retrouver à l'époque du lycée.

— Cessez de bouger, sans quoi je vais vous piquer avec l'épingle.

Leurs regards se croisèrent.

— On dirait que vous avez le trac.

— Le trac ? Moi ?

Geena retint sa respiration, croisa les mains, et réussit à se tenir parfaitement immobile pendant qu'il accrochait le gardénia sur sa robe.

— A vous, maintenant.

Elle prit un bouton de rose blanc dans le vase plein de fleurs sur la table de l'entrée, coupa la tige avec une paire de ciseaux et le fixa dans sa boutonnière.

— Voilà, c'est parfait.

Lorsqu'ils arrivèrent à l'hôtel de ville, le parc de stationnement était déjà à moitié plein, et les voitures continuaient d'arriver. Ben descendit et fit le tour pour ouvrir la portière de Geena. Elle rassembla les plis de sa robe en prenant soin d'éviter que l'ourlet ne touche le sol mouillé. Il avait plu, et il y avait de nombreuses flaques sur le sol.

A mesure qu'ils s'approchaient des grandes portes de l'entrée, elle sentait grandir son angoisse. Elle serra le bras de Ben plus fermement.

— Je ne suis pas très sûre que ce soit une bonne idée...

Il l'examina, comme s'il venait de découvrir une nouvelle souche de pénicilline des plus fascinantes.

— De quoi avez-vous peur, exactement ?

S'il connaissait la vérité, s'il savait qu'elle n'avait jamais obtenu son diplôme, et qu'à seize ans elle avait accepté un contrat de mannequin, tout ça parce qu'elle avait eu peur de ne pouvoir égaler la réussite scolaire de ses sœurs, est-ce qu'elle lui plairait encore ? Est-ce qu'il la respecterait ?

Elle s'efforça de sourire et releva le menton, décidée à donner l'impression à tous qu'elle était parfaitement sûre d'elle.

— Je suis terrifiée à l'idée que les garçons de l'équipe de basket se rappellent que j'ai actionné l'alarme d'incendie après un de leurs matchs, et qu'ils ont dû se précipiter hors des salles de douches, enveloppés de leurs serviettes.

Ben gloussa, et la guida à travers le flot des invités qui entraient dans l'édifice.

— Si c'est là tout ce que vous avez à craindre, ce n'est pas bien grave.

La salle était décorée de guirlandes et de ballons, et une grande bannière, au-dessus de la scène, portait une inscription de bienvenue à la dixième édition de la soirée de la promotion 1992. Au centre de la pièce, une énorme boule lumineuse tournait lentement, jetant ses reflets multicolores sur la foule. Geena regarda autour d'elle en quête de visages connus.

— Je vois un bar, là-bas, dit Ben en essayant de dominer le brouhaha. Que voulez-vous boire ?

— Une eau minérale, répondit Geena par automatisme.

Puis elle se rappela qu'elle avait cessé de se priver des plaisirs de la vie pour garder la ligne, et elle se ravisa.

— Et puis, non, prenez-moi un verre de vin blanc.

— Tu vis dangereusement ? demanda une voix amusée, dans son dos.

— Linda !

Geena se retourna et serra son amie dans ses bras.

— Tu es superbe ! Comment ça va, depuis le temps ? Je t'ai appelée une fois et tu étais absente. Ensuite, j'ai été très occupée.

— Ce n'est pas grave, dit Linda en sirotant son verre de vin. Je sais ce que c'est d'être occupée, avec quatre enfants. Sans compter que j'étais en retard pour remettre mon dernier livre, tu imagines la pression !

— Ton dernier livre ? Je ne savais pas que tu écrivais. Tu m'avais parlé du bulletin de la paroisse, mais c'est tout.

Linda posa un doigt sur ses lèvres, en jetant un regard amusé à son verre de vin.

— Comme tu vois, *In vino veritas*. J'utilise un pseudonyme, car je veux que personne ne sache que j'écris des livres. Je te demanderais de garder ça pour toi.

— Mais pourquoi ? Je trouve que c'est merveilleux !

Linda avait toujours été une élève brillante, et Geena avait du mal à l'admettre, mais elle était encore jalouse de son amie et également intimidée. Elle n'aurait jamais été capable de sortir une citation latine avec ce naturel.

— Nous sommes dans une petite ville, dit Linda. J'en connais beaucoup qui ne comprendraient pas, surtout parmi les fidèles de l'église. Greta Vogler m'a démasquée, parce qu'elle lit mes livres, mais je lui ai fait jurer de garder le secret. Je ne pense pas qu'elle en ait parlé à qui que ce soit. Si elle l'avait fait, toute la ville serait au courant ! ajouta-t-elle en riant.

— Je ne comprends toujours pas, dit Geena, perplexe. Quel est ce grand secret ?

Linda jeta un regard autour d'elle, et baissa la voix.

— J'écris des romans érotiques, tu vois le genre…

Geena demeura bouche bée.

— J'ai commencé lorsque mes enfants étaient tout petits, poursuivit Linda. Si je n'avais pas trouvé un moyen de m'occuper l'esprit en dehors des couches à changer, je serais devenue cinglée !

— Pour l'amour du ciel, ne t'excuse pas ! Je trouve ça super... Il faut absolument que tu me dises ton pseudonyme, pour que je puisse acheter tes livres.

— Je te donnerai un exemplaire de ma dernière production quand nous nous verrons. Tiens ! Voilà Heather. Tu te souviens d'elle, non ? Elle a obtenu un doctorat en microbiologie, et en ce moment, elle fait de la recherche médicale à l'université.

— Elle a toujours été brillante, dit Geena en regardant autour d'elle. Qui d'autre est là ?

— Voyons... Tanya, qui est orthopédiste à Simcoe, et Vanessa, qui vient de décrocher un poste de productrice du journal télévisé de TV 9.

C'était plus que Geena n'en pouvait supporter. Toutes ses anciennes camarades de classe semblaient exercer des professions qui exigeaient beaucoup d'intelligence. Il devait y avoir aussi, parmi elles, quelques mères au foyer, mais l'éducation des enfants requérait aussi des efforts et des compétences, comme en témoignait l'exemple de Kelly. Tout le travail de Geena, au cours de la décennie écoulée, avait consisté à être belle.

— Toby doit être dans le coin, probablement en train de s'occuper du buffet... Tiens, regarde là-bas, Larry et Chris.

Linda leur fit signe de s'approcher.

— Salut, Larry.

Geena constata que le garçon le plus ballot de la classe s'était transformé en un jeune homme élégant, plutôt séduisant, accompagné d'une superbe brune qu'il présenta sous le nom de Juliet.

— Attends, laisse-moi deviner, dit-elle sur un ton taquin, en s'adressant à un homme chauve et bedonnant, ancien capitaine de l'équipe de rugby. Tu es Chris Reardon. Je me trompe ?

Chris imita une passe avec un ballon imaginaire, et fit passer sa femme devant.

— Tu te souviens de Loretta ? Elle était en seconde.

Ben arriva, le verre de Geena à la main. Elle but une gorgée, avant de faire les présentations, en finissant par ces mots :

— Je crois que vous connaissez Linda Thirsk.

Linda leva les sourcils et laissa échapper un rire joyeux.

— Avec mes quatre enfants, nous ne pouvons que bien nous connaître, le Dr Matthews et moi. Depuis le début de l'été, nous avons eu un bras cassé, une otite, trois points de suture et...

— Une grippe intestinale, ajouta Ben pour lui venir en aide.

— Bien sûr ! Comment peut-on oublier la grippe intestinale !

— Geena, j'ai entendu dire beaucoup de bien sur toi, intervint Loretta. Tod Wakefield est dans la classe de mon fils Brandon. Tod a une leucémie, dit-elle à l'intention de ceux qui pouvaient l'ignorer. Brandon dit que Tod a beaucoup changé depuis que Geena est entrée dans sa vie.

Linda posa la main sur le bras de Geena.

— Tu ne peux pas savoir à quel point je t'admire de pouvoir affronter une situation aussi éprouvante. Si l'un de mes enfants tombait aussi gravement malade, je crois que je n'aurais pas le courage de faire face.

Geena la regarda. Elle avait du mal à croire que Linda Thirsk éprouvait de l'admiration pour elle.

Tandis qu'ils étaient en train de bavarder, Tricia Morissey, dont Geena se souvenait qu'elle était excellente en art,

197

vint se joindre au groupe. Dès qu'elle arriva à décoller son regard de Ben, elle intervint.

— Ma tante, qui est au foyer des personnes âgées, m'a parlé de toi aussi. Elle m'a dit que tu leur rendais visite très souvent.

Geena haussa les épaules.

— Je prends beaucoup de plaisir à discuter avec les gens âgés. Ils ont tellement de choses intéressantes à nous apprendre, et une telle sagesse aussi. Quant à Tod, qui pourrait rester insensible devant un petit garçon aussi fabuleux ? Je trouve qu'il a quelque chose d'unique.

Le bras de Ben se resserra sur sa taille.

— Il faut aussi être quelqu'un d'unique pour s'impliquer avec une telle générosité.

Linda promena son regard par-dessus l'épaule de Geena et, soudain, elle resta bouche bée de surprise.

— Oh, mon Dieu ! C'est bien Mlle Vogler que je vois, là-bas ?

Geena avait oublié que la plupart des gens présents n'avaient pas encore vu la nouvelle Greta. Elle avait dû cajoler et supplier Greta pour qu'elle accepte d'essayer la robe du soir à paillettes chez Briony. Mais, lorsqu'elle s'était vue dans la glace, Geena avait eu du mal à la lui faire ôter et à accepter qu'on l'emballe. Elle était très fière de la lui voir porter ce soir, et elle trouvait gratifiant pour elle de constater que Greta affichait sa nouvelle image.

— Bonsoir, dit Greta en s'adressant au petit groupe.

— Bonsoir, mademoiselle Vogler, récitèrent Larry et Chris, comme au bon vieux temps.

Ils éclatèrent tous de rire. Greta jeta un regard circulaire, avec suspicion, et Geena retint son souffle. Elle mesurait à quel point Greta avait toujours été étrangère à la communauté scolaire. Aucun d'entre eux ne l'avait aimée, mais tous, autant qu'ils étaient, avaient craint sa langue acérée et ses froncements de sourcils menaçants.

Ce soir-là, un miracle se produisait sous leurs yeux. Greta souriait et riait aux plaisanteries au lieu de s'en offusquer comme autrefois. Elle était détendue, au point même de prendre un verre. Elle but une gorgée de punch et, d'un ton chantant qui à la surprise de Geena se voulait amical, elle déclara :

— Je suis un peu pompette. Les garçons, j'ai l'impression que vous avez un peu trop corsé le punch.

— Si vous avez besoin de réanimation, il y a un docteur sur place, dit Ben galamment.

Les joues de Greta rosirent, et elle lui jeta un regard malicieux.

— Allons, allons, docteur Matthews !

— Vous êtes superbe, ce soir, mademoiselle Vogler, dit Linda. J'adore votre robe et votre coiffure aussi. Je n'en reviens pas que vous ayez changé à ce point.

— Merci, Linda. C'est à Geena que je dois tout. Elle m'a fait complètement changer de look pour le défilé de mode. Je ne sais pas pourquoi je n'y avais jamais songé auparavant. Quand je pense à toutes ces années gâchées...

— Geena a aidé des tas de gens, dit Loretta. Nous étions en train d'en parler.

Geena en avait assez d'entendre parler d'elle, et elle souhaitait ardemment qu'on l'oublie un peu.

— Geena est merveilleuse, approuva Greta, avant d'ajouter avec fierté : Elle est en train de préparer son DEB, et s'en sort très bien.

Geena devint livide, comme si le sang se retirait de son visage. Elle était persuadée que tous avaient entendu, et tournaient vers elle un regard apitoyé. Ben comme les autres. Elle sentit sa main quitter la sienne, tandis qu'il faisait un pas en arrière pour mieux la regarder.

— C'est quoi, le DEB ? demanda Larry.

— C'est le diplôme équivalent du bac, répondit Chris. C'est ce qu'on passe lorsqu'on s'est arrêté avant la terminale, et qu'on est trop âgé pour retourner à l'école.

— Ah, c'est vrai, dit Loretta. J'avais oublié que Geena avait quitté le lycée en fin de première.

Geena se sentait nauséeuse, et elle avait les mains moites. Ce qu'elle vivait lui parut plus difficile que d'ouvrir le défilé sur le podium lors de la présentation des collections de printemps à Paris. Le cauchemar qu'elle appréhendait se réalisait : Ben venait d'apprendre qu'elle n'avait jamais passé son bac. Il devait la prendre pour une véritable idiote.

— Geena, ça va ?

Elle entendit la voix de Ben comme dans un brouillard, elle sentit le contact de son bras qui essayait de saisir sa taille, et le repoussa. Elle ne pouvait pas le regarder en face, c'était au-dessus de ses forces. Quelques instants auparavant, ses anciennes amies de lycée ignoraient encore qu'elle n'était pas des leurs. Plus maintenant, grâce à Greta dont l'alcool avait délié la langue. Celle-ci avait sans doute été poussée par la reconnaissance, et la fierté de voir son ancienne élève s'amender. Mais pourquoi diable avait-il fallu qu'elle parle ?

— Excusez-moi, dit Geena d'une voix rauque. Il faut que je... que je...

Tandis qu'elle s'éloignait en tout hâte, elle entendit Greta dire tout haut à Linda :

— J'ai adoré votre dernier livre. A quand le prochain ?

— Un livre ? dit Larry. De quel livre s'agit-il, Linda ?

Geena se fraya un chemin dans la foule, et sortit par la grande porte pour aller s'appuyer à la balustrade du perron. Le contact de l'air froid, après l'air surchauffé de la salle, lui donna la chair de poule. Dans l'allée qui menait au bâtiment s'étaient éparpillés de petits groupes de fumeurs, qui animaient l'obscurité de rires et de bouffées de fumée.

— Geena..., dit Ben en la rattrapant.

Elle regardait fixement devant elle, incapable de tourner les yeux vers lui, tant elle se sentait coupable d'imposture.

Ben passa la main sur ses bras nus, les frictionna pour les réchauffer. Puis il lui parla, la bouche tout près de sa tempe, et son souffle tiède lui parcourut la peau.

— Pourquoi vous êtes-vous enfuie ?

Elle inspira profondément et libéra ses poumons. Le menton levé, les joues cramoisies, elle répondit :

— Vous avez entendu Greta. Je n'ai jamais terminé mes études.

— Geena, Geena, Geena..., murmura-t-il. Vous êtes belle, raffinée, fortunée, et pourtant vous n'avez pas passé votre bac. Pauvre petite fille riche !

— Ne vous moquez pas de moi, dit-elle, furieuse. Et épargnez-moi votre pitié.

— Ma pitié, vous dites ? Je n'éprouve absolument aucune pitié pour vous. Pourquoi ne pas m'avoir dit que vous prépariez votre DEB ? Je trouve cela très intéressant. Je peux savoir ce que vous espérez faire, quand vous aurez obtenu votre diplôme ?

— Qui sait ? répondit-elle avec désinvolture. Je deviendrai peut-être un chirurgien du cerveau.

Il l'obligea à se retourner, en faisant glisser ses mains le long de ses bras.

— Non, sérieusement. Vous ne vous donneriez pas autant de mal, si vous n'aviez pas envisagé d'utiliser votre diplôme.

Elle haussa les épaules, en se contentant de ce petit sourire un peu froid derrière lequel elle cachait toujours ses émotions.

— Pas nécessairement. Je me trouve coincée dans cette petite ville, où j'ai dû venir pour me refaire une santé. C'est amusant de jouer à l'école.

Trop émue, elle s'éloigna de lui, descendit les marches, et se dirigea vers la pelouse qui s'étendait le long de l'hôtel de ville. Il la suivit.

— Vous ne voyez donc pas que les hommes vous admirent, et que les femmes vous envient ? dit-il en l'entourant de ses bras pour la réchauffer. Et ce n'est pas uniquement à cause de votre beauté, mais parce que vous êtes comme... comme un cierge magique qui illumine tout ce qui l'entoure.

— Je ne suis qu'un papillon inutile, répliqua-t-elle sur un ton plein d'amertume. Je sais que vous le pensez.

Ben recula un peu et, d'un doigt, lui souleva le menton, afin de mieux la regarder.

— Entre l'aide que vous apportez à Tod et à sa famille, vos visites aux personnes âgées, et maintenant le DEB, je me suis rendu compte que vous n'êtes pas la femme que je voyais au début.

— Qui suis-je vraiment ? Je ne le sais pas moi-même ! s'écria-t-elle en se libérant de son étreinte. Je suis en train de changer, et cela me fait peur. Je croyais que cela me ferait du bien de terminer mes études, c'est pourquoi je l'ai entrepris... Mais le DEB ne m'apparaît plus très utile, car je ne trouve pas intéressant d'apprendre dans les livres. Je désire simplement aider les gens du mieux que je peux.

Elle laissa retomber ses bras, renonçant à feindre plus longtemps.

— Je trouve ça ironique. Je voulais que vous dépassiez les apparences pour découvrir ma vraie personnalité, mes ressources cachées... Au lieu de ça, vous avez mis au jour mes côtés vulnérables, mes faiblesses.

Ben la prit de nouveau dans ses bras.

— Nous avons tous des points vulnérables. Vous avez aussi des ressources, et elles ne sont pas cachées. En l'espace de quelques mois, vous avez mis fin à une dépendance psychologique et physique à la cigarette et aux anxiolytiques. Vous avez surmonté des problèmes nutritionnels qui auraient pu devenir graves. Vous avez mis de côté vos propres soucis pour venir en aide à votre prochain. Peut-être que c'est vous-même qui ne voyez pas celle que vous êtes vraiment.

Il déposa un léger baiser sur sa bouche. Elle demeura immobile, sans s'écarter ni se laisser aller, trop occupée à réfléchir à ce qu'il disait. Elle songea que, en effet, elle avait sans doute été trop dure avec elle-même.

— J'ai moi-même une faiblesse, avoua-t-il. C'est vous.

Elle secoua la tête, refusant de l'admettre, mais au fond de son cœur elle avait envie d'y croire. Elle était prête à accepter l'amour sous toutes ses formes. Dans ces conditions, pourquoi ne pas s'ouvrir à celui qu'elle désirait si ardemment ?

— Je n'ai qu'à poser les yeux sur vous, de l'autre bout de la salle, et j'en oublie ce que je suis en train de faire, poursuivit-il. Un sourire de vous, et je suis prêt à me jeter sur une flaque d'eau pour vous éviter de mouiller vos jolies chaussures.

Geena sourit et laissa le bonheur qui sommeillait en elle remonter à la surface. Ben était vraiment sincère. Elle approcha lentement ses bras de son cou, et se serra contre lui.

— Continuez, ne vous arrêtez pas...

— Vous êtes exaspérante, vous me rendez fou, murmura-t-il en ponctuant chaque mot par un baiser. Je vous trouve excitante, séduisante, tendre...

Du bout des doigts, il toucha les commissures de leurs bouches, puis il effleura son cou, à l'endroit précis où le sang palpitait à fleur de peau, donnant toute sa force à son parfum. La senteur se mêla à l'odeur de la peau de Ben.

Elle s'abandonna à la caresse de ses mains sensuelles qui descendaient le long de son dos, enfermaient ses hanches, et l'emprisonnaient pour la plaquer contre lui. Elle ne faisait plus qu'un avec ce corps élancé et robuste, leurs cœurs battant à l'unisson.

Les baisers qu'ils avaient échangés auparavant, et dont elle avait chéri le souvenir, lui paraissaient bien pâles, comparés à ce baiser ardent, comme chauffé à blanc. Alors que les premiers avaient été chastes et tendres, tel un simple prélude à une idylle, celui-ci lui réclamait un abandon total. A la fois effrayée et grisée, elle savait qu'elle avait franchi le stade du fantasme, et que cette nuit-là tout s'accomplirait.

Ben avait perçu ce qui se cachait au plus profond de son être, derrière les apparences. Il avait décelé ses faiblesses et les avaient qualifiées de « vulnérabilité », il avait su discerner sa fragilité, son manque de confiance en elle, et les paroles aimantes qu'il avait prononcées l'avaient confortée dans l'idée qu'elle comptait à ses yeux. Il connaissait son côté négatif, ses défauts, ses failles, et la désirait malgré tout. Eh bien, se dit-elle avec une détermination encore plus grande, si je suis sa faiblesse, je deviendrai aussi sa force. *Elle aimait cet homme.*

Des bruits de voix et de pas lui firent prendre conscience de l'endroit où ils se trouvaient, et elle s'arracha à son baiser.

— Tu veux qu'on retourne à l'intérieur ? murmura-t-il.

Elle secoua la tête en silence. Elle sentait le tissu rugueux de son veston contre sa joue et le contact de son torse dur sous ses mains.

— Allons-nous-en d'ici, dit-elle.

12.

Ils traversèrent le parking en courant et en sautant par-dessus les flaques. Ils avaient le souffle court, et semblaient poussés par l'urgence de leurs pulsions, incapables d'attendre une seconde de plus. Ils firent le trajet en voiture jusqu'à la maison de Ben, en silence, se jetant des regards intenses, enlaçant leurs doigts. Ensuite, ils descendirent de voiture et gravirent les marches au pas de course, comme si la retenue qu'ils s'imposaient depuis des mois était devenue intolérable.

Arrivé sur le perron, Ben se cogna le tibia contre le bord d'un grand carton qui bloquait le passage.

— Qu'est-ce que...

— Qu'est-ce que c'est ? demanda Geena.

— Edna a dû en avoir assez de voir mes affaires traîner dans sa maison, et les a fait transporter chez moi.

Ben ouvrit la porte et porta le carton dans l'entrée. Après quoi, il s'empressa de tirer Geena vers lui et de la prendre dans ses bras. Elle n'opposa aucune résistance, bien au contraire. Les lèvres et les mains de Ben parcouraient fébrilement son corps, et elle semblait incapable de se rassasier de ses caresses. Ils se laissèrent tomber sur la moquette.

Ben l'entraîna, et ils se remirent debout.

— Je te veux dans mon lit.

Dans ses fantasmes, elle l'avait souvent imaginé en train de lui faire l'amour, mais elle n'avait jamais pensé que sa voix aurait ce ton rauque, si particulier.

— Emmène-moi jusqu'à ton lit.

Le trajet jusqu'à la chambre fut plutôt mouvementé, et leur demanda un temps infini. Ils trébuchaient, avançaient difficilement à cause de leurs bras entrelacés, et s'embrassaient à chaque pas. Ils finirent par arriver devant le grand lit. Geena en fit le tour, et jeta un regard vers la lucarne qui laissait passer un rayon de lune argenté. Elle se sentait libre, survoltée, comme délivrée de son passé, de sa vulnérabilité et de toutes ses inhibitions.

— C'est splendide, murmura-t-elle.

Elle tournoya lentement, les bras ouverts, comme pour englober dans une seule étreinte la nuit, la lumière des étoiles et l'homme qui avait déjà comblé toutes ses espérances.

Ben ôta son veston et l'attira vers lui. Il l'entraîna alors dans un tourbillon qui les fit chanceler et tomber à la renverse sur le lit, riant aux éclats. Il se trouva à genoux au-dessus d'elle, se pencha et déposa un baiser sur ses lèvres. Elle s'arc-bouta, tiraillée entre la volonté d'aller lentement afin de savourer chaque seconde et le besoin impérieux de se fondre en lui, d'assouvir son désir si longtemps contenu.

Lorsque Ben se redressa au-dessus d'elle pour enlever sa chemise, et qu'elle vit pour la première fois son large torse musclé, luisant à la lueur des étoiles, elle ne songea plus à savourer l'instant, et l'attente fiévreuse du plaisir l'emporta. Elle poussa un grognement, le saisit par la ceinture, et le fit tomber sur elle.

Le contact du corps si léger de Geena sous le sien fit jaillir en Ben le désir irrépressible de la posséder. Il prit sa bouche en un baiser passionné et se pressa tout contre elle, à la fois frustré et excité par la barrière que constituaient leurs vêtements. Elle fit onduler ses hanches et promena ses mains le long de son dos, jusqu'aux cuisses, en une caresse qui le rendit fou.

A bout de souffle, il se détacha et roula sur le côté.

— Tu ne te rends pas compte de ce que tu me fais... Calme-toi un peu, sans quoi nous allons finir avant d'avoir commencé.

— Alors nous recommencerons, tout simplement, dit-elle en le saisissant par les épaules et en le tirant vers elle pour l'embrasser. Et encore, et encore, jusqu'au moment où nous serons épuisés.

— J'espère que tu as de l'endurance, parce que je ne serai pas épuisé de si tôt...

Il planta des petits baisers le long de son buste, s'attardant sur le renflement de ses seins avant de tirer sur le tissu pour faire surgir un mamelon brun. Lorsque ses seins furent dénudés, il les trouva petits, mais ronds et fermes, et d'une beauté poignante.

Incapable d'attendre une seconde de plus, il défit sa ceinture fébrilement, sans la quitter des yeux, tandis qu'elle faisait tomber la bretelle de sa robe, et se levait pour mieux faire glisser sa robe le long de ses hanches minces. Elle se retrouva avec, pour tout vêtement, un petit slip en dentelle noire et ses talons hauts. Vues de l'endroit où il était assis, ses jambes lui parurent d'une longueur infinie.

— Mesdames et messieurs, voici la dernière création de Gaultier, dit-elle en imitant l'accent français avec une petite moue sensuelle.

Elle contemplait ce regard posé sur elle, et le trouvait éminemment érotique. L'expression qu'il lut dans ses yeux révéla à Ben qu'elle était excitée par son désir.

Elle tourna sur elle-même avec lenteur, offrant à son regard la peau nue et lisse de son dos, et ses petites fesses rondes. Elle prit la pose, la main sur une hanche, lui jeta un coup d'œil voluptueux par-dessus son épaule et sourit.

Il se mit debout pour ôter son pantalon. Elle pivota, se retrouva de nouveau face à lui et, nullement intimidée, se mit à promener son regard plein de désir sur son corps presque nu. Elle ouvrit les lèvres, laissant apparaître un petit bout de langue, tout en posant les mains, doigts écartés, sur ses seins.

Ben poussa un grognement sourd, se débarrassa vivement de son caleçon et la ramena vers lui, sa peau nue contre la sienne, leurs deux poitrines frémissantes. Ils furent submergés par une vague brûlante, tandis que leurs lèvres se joignaient, que leurs langues s'emmêlaient, et que leurs corps s'épousaient. Leurs mains ne cessaient de parcourir la peau de l'autre, avec une avidité insatiable. Il lui murmurait : « Peux pas... attendre... une seconde... de plus. »

Elle gémissait : « Je te veux, maintenant. »

L'ardeur qui les consumait devenait insupportable, et il eut l'impression qu'ils allaient littéralement s'enflammer. Passant le bras derrière lui, il fouilla dans le tiroir de sa table de chevet où il gardait sa réserve de préservatifs, dans l'espoir qu'un jour il vivrait cette scène.

Il essaya de lui tendre le préservatif. Secouant la tête en souriant, elle leva ses mains tremblantes. Lorsque ce fut fini, il n'y eut plus d'obstacle devant lui, sauf...

Les yeux rivés sur les siens, il glissa la main dans la taille de son slip et le fit glisser. Geena, qui avait gardé ses talons hauts, envoya valser le chiffon de dentelle, et referma ses deux bras autour du cou de Ben. Plaçant une main sous ses fesses, il la hissa contre lui et la renversa sur le lit. Elle poussa un petit cri, et, en riant, profita de l'élan qu'il avait impulsé pour le faire rouler et se retrouver sur lui. Cette démonstration de vigueur inattendue le fit rire. Comment avait-il pu croire qu'elle était toute fragile ?

Elle se pencha en avant, posa les mains sur ses épaules, et se laissa glisser pour se mettre en bonne position, sans cesser de l'exciter par des petits mouvements suggestifs. Il désirait ardemment entrer en elle, mais il la saisit par les hanches, et résista à sa pulsion, préférant lui laisser l'initiative... pour le moment.

— J'ai eu envie de toi dès l'instant où je t'ai vu pour la première fois, dans ton bureau. Tu le savais ? dit-elle en baissant la tête pour embrasser ses lèvres.

— Moi aussi, j'ai eu envie de toi à cet instant-là. Mais je croyais que tu n'étais pas mon genre de femme.

Elle émit un petit rire.

— Et maintenant ?

— Maintenant, je me garderai bien d'émettre des suppositions en ce qui te concerne.

Il appuya sur ses hanches, et la fit descendre lentement sur lui, jusqu'au moment où il fut totalement en elle, enserré dans son intimité douce et chaude. Il poussa un profond soupir et se mit à accomplir des mouvements.

Il continua de se mouvoir lentement, craignant presque d'écraser ses os menus avec ses grandes mains. Mais elle s'impatienta très vite, sa respiration devenant de plus en plus haletante, et elle se laissa rouler sur le côté, l'obligeant à se mettre dessus.

— J'ai peur de t'écraser, dit-il dans un souffle, en essayant de modérer ses poussées.

— Ne t'en fais pas pour ça. Je ne vais pas me briser.

Les yeux mi-clos, elle l'agrippa avec ses jambes, avec ses mains, avec ses muscles internes.

— J'aime quand c'est un peu... fougueux, dit-elle d'une voix rauque, très sensuelle.

Sa manière de soulever les hanches, avec force et vigueur, finit par le convaincre.

— D'accord, puisque c'est ce que tu veux...

Balayant toute réserve, il plongea en elle d'un coup, et elle le reçut avec un cri de triomphe. Leurs corps se rencontrèrent, roulèrent l'un sur l'autre, se mêlant encore, décuplant l'intensité de leur plaisir. Il réalisa qu'elle était plus forte qu'il ne l'avait imaginé. Elle se révélait aussi très souple et athlétique, ce qui ajouta à son excitation. Une ardeur délicieuse embrasait leurs corps luisants de sueur, qui se donnaient l'un à l'autre sans retenue. Il gardait les yeux rivés aux siens, ne détachant son regard que pour l'embrasser. Elle riait de bonheur, et il la fit rouler une nouvelle fois, si bien qu'ils quittèrent le lit et tombèrent avec un bruit sourd sur la moquette jonchée de couvertures.

— Tu es bien ? demanda-t-il, le souffle court.

Elle fit oui de la tête. La tenant toujours serrée contre lui, il la releva et ils revinrent sur le lit. Collée à lui, elle essayait de toutes ses forces de l'entraîner au plus profond d'elle. Leurs mouvements gagnèrent en intensité, jusqu'au paroxysme : un seul cœur, un seul esprit, tendus vers un dernier sursaut d'énergie qui explosa dans une apothéose finale tandis qu'ils devenaient... une seule chair.

En atteignant l'orgasme, Geena laissa échapper un cri très étrange, dont la dernière note était encore suspendue dans l'air au moment où il s'arc-bouta au-dessus d'elle.

Pendant de longues minutes, il sombra dans une sorte d'inconscience et lorsqu'il revint à lui, ils étaient encore enlacés, leurs jambes et leurs bras entremêlés. Ils avaient la tête au pied du lit, les couvertures gisaient par terre, et le drap de dessous était à moitié arraché.

Il effleura ses lèvres toutes gonflées, et lui redemanda :

— Tu es bien ?

Elle ouvrit les yeux, éblouie, et lui fit un sourire dont le rayonnement lui transperça le cœur.

— Rien ne sera jamais plus comme avant. Mais pour répondre à ta question : oui ! Merveilleusement bien.

— Ah, ça c'était vraiment quelque chose !

— Quelque chose de bon ? demanda-t-elle en souriant.

— Tu sais très bien que oui.

Il la dévorait du regard, ému par ses yeux légèrement embués, sa peau de porcelaine et ses lèvres gonflées. Il existait un mot pour décrire ce qu'il ressentait en cette minute, et même il en existait plusieurs : émerveillement, plénitude, satisfaction, affinités.

En un mot, c'était l'Amour.

Il éprouvait un grand bonheur, et le soulagement de reconnaître la véritable nature de ses sentiments. Tout allait pour le mieux. Et pourtant...

Il lui caressa la joue du bout des doigts, éprouvant le désir de lui avouer qu'il l'aimait, mais il craignit que cet aveu ne soit trop prématuré. Etait-il sûr de ses sentiments ? Avait-il assez de recul pour faire la différence entre l'amour et une simple attirance physique ?

Leurs muscles, contractés, demandaient à se détendre, et ils dénouèrent lentement leurs membres emmêlés. Ben se retira alors doucement.

Il jeta un coup d'œil à son sexe et lâcha un juron.

— Que se passe-t-il ? demanda-t-elle d'une voix alanguie.

— Nous y sommes allés un peu trop fort. Le préservatif s'est déchiré.

Ils se regardèrent, soudain inquiets. Geena eut un petit rire triste.

— Je n'ai pas eu de règles depuis plus d'un an, tu n'as pas oublié ? Je ne peux pas me retrouver enceinte.

— Beaucoup de mères qui allaitaient ont cru la même chose, et s'en sont mordu les doigts.

Elle haussa ses frêles épaules en un geste gracieux.

— De toute façon, on ne peut plus rien y faire.

Elle dessina tendrement le contour de ses lèvres du bout du doigt.

— La prochaine fois, j'y mettrai un peu plus de douceur, promit-elle en gloussant.

Il planta une dizaine de baisers tout autour de son visage en terminant derrière son oreille, puis, à contrecœur, il descendit du lit.

— Laisse-moi aller jeter ça.

Geena se blottit dans les oreillers. Son corps lui donnait l'impression d'être lourd et totalement assouvi, mais son cœur ne lui avait jamais paru aussi plein d'allégresse. Elle se surprit à souhaiter qu'ils aient vraiment fait un bébé. Et, à cette idée, elle se fit un petit dialogue dans sa tête.

« Maman me l'avait promis. »

Ben refuserait cette complication.

« Il fera un père merveilleux. »

Ils avaient encore des problèmes à résoudre.

« Un bébé, quel bonheur ! »

Ben revint avec une serviette chaude et humide, et lui essuya tout le corps avec douceur. Il était si attentionné, si fort et si tendre à la fois... Elle suivait du regard le mouvement de sa main sur sa peau, et une vague de désir la submergea.

Elle l'attira vers elle, et il jeta la serviette pour se coller contre elle. Ils firent l'amour très lentement, cette fois, sur un rythme langoureux et intense, avec une économie de mouvements pour atteindre une sensualité plus profonde. Geena se délectait de sa peau chaude et veloutée, du parfum de musc qui flottait dans l'air, du mouvement de va-et-vient qui faisait chavirer leurs deux corps vers l'extase finale.

Un instant plus tard, elle demeurait au creux de ses bras, captivée par le regard de ses yeux bruns. Ils fusionnaient, ne faisant plus qu'un, comme ensorcelés par ces instants d'intense communion qu'ils venaient de vivre. Elle avait retiré au moins une leçon de ce qui lui était arrivé à Milan : la vie était trop courte, et les relations humaines trop importantes pour faire taire ses sentiments.

— Je t'aime, murmura-t-elle.

Il ouvrit la bouche pour répondre, mais elle lui posa un doigt sur les lèvres avant qu'il ait eu le temps de prononcer une parole. Elle avait surpris une lueur de méfiance dans son regard. Elle n'y attacha pas d'importance et poursuivit :

— Je sais qu'il est trop tôt pour le dire, mais c'est ce que crie mon cœur.

Il tenta de parler, et elle lui cloua le bec avec un baiser.

— Tes actes me révèlent tout ce que j'ai besoin de savoir sur toi, pour le moment. Promets-moi d'attendre,

214

avant de me dire que tu m'aimes... Que ce soit ton cœur qui te le crie.

Il acquiesça, et elle retira son doigt.

— Je pense vraiment que je suis...

— Chut ! Ne pense pas.

Elle se blottit contre lui, l'âme en paix. Peu lui importait que son cœur ne soit pas encore à l'unisson de ses sens : elle savait que Ben et elle appartenaient l'un à l'autre, désormais.

Il le découvrirait lui aussi, un jour. Pour le moment, elle était habitée par un sentiment de bien-être parfait, savourant le contact des doigts de Ben qui caressaient ses cheveux.

Ben rompit le silence.

— Je trouve incroyable la manière dont Greta a révélé à tes amies que tu préparais ton DEB.

— Je n'ai pas envie de parler de ça maintenant, dit Geena.

— Tu as raison. Je n'ai rien dit.

Il lui massa le cuir chevelu du bout des doigts, jusqu'à ce qu'elle se mette à ronronner de plaisir.

Mais une fois le nom de Greta prononcé, il s'incrusta dans l'esprit de Geena.

— Je me demande pourquoi elle ne s'est jamais mariée. J'ai entendu dire qu'un homme l'avait plaquée dans sa jeunesse, mais il est curieux qu'elle n'ait jamais trouvé quelqu'un d'autre, après ça.

Le silence de Ben lui parut bizarre. Elle s'écarta de lui pour le regarder.

— Toi, tu sais quelque chose. Dis-moi !

Il secoua la tête.

— Secret médical.

— Oh, tu n'es pas drôle...

— Ce n'est pas ce que me disent les autres filles.

Une lueur taquine naquit dans son regard, et ses doigts se posèrent sur ses seins, caressant doucement leurs contours.

— En ma qualité de médecin, je suis heureux de t'informer que je possède un remède pour soigner cette envie insatiable qui te démange.

Il posa ses lèvres sur les mamelons, et se mit à les mordiller puis à les sucer avec douceur. Geena sentit une onde brûlante envahir son corps, et elle oublia Greta et ses problèmes. Il s'écarta un bref instant pour voir les extrémités de ses seins tendues, tout en insinuant sa main le long de son ventre jusqu'à son entrecuisse.

— Cette envie me démange de plus en plus, docteur, murmura-t-elle en prenant dans ses mains son membre palpitant.

— Je vais simplement introduire un petit quelque chose pour soulager la douleur, dit Ben en lui écartant doucement les cuisses.

Elle le contempla en écarquillant les yeux, toute émoustillée par leur petit jeu.

— Oh, mais ce « quelque chose » est énorme...

— C'est le signe que nous devons passer à l'étape suivante du traitement.

Il s'introduisit en elle.

— Alors, quel effet cela vous fait-il ?

— Mmm... Très agréable...

Plus tard, des heures après peut-être, Geena se réveilla dans une obscurité totale. Les nuages cachaient les étoiles, et la pluie cognait sur les fenêtres et la lucarne.

Tout ensommeillée, elle tendit le bras vers Ben, mais il n'était plus dans le lit.

Elle se redressa sur ses coudes, et remarqua alors un trait de lumière qui passait sous la porte fermée de la chambre. Le réveil digital, à côté du lit, affichait 6 h 14. Elle savait que Ben était un lève-tôt. Pendant l'été, elle l'avait souvent aperçu en train de faire son jogging avant de se rendre au cabinet médical. Mais on était en octobre, il faisait encore nuit dehors, et de surcroît ils avaient très peu dormi.

Elle se leva, enfila la chemise de Ben qui traînait par terre, et se dirigea vers la salle de séjour. Elle le trouva assis sur le divan, en caleçon, et l'immobilité de son grand corps lui parut étrange. A ses pieds, elle aperçut le grand carton qu'il avait trouvé sur le perron : il était ouvert, et au bout de sa main pendait une feuille de papier. Elle se préparait à proférer une plaisanterie, lorsqu'il leva les yeux vers elle. Les mots s'étranglèrent dans sa gorge à la vue de son visage ravagé de douleur.

— Ben ! Qu'y a-t-il ?

Elle se laissa tomber sur le divan et l'entoura de ses bras.

— Ben, tu vas bien ?

Il déglutit péniblement, et tourna la tête vers elle. Ses yeux, si pleins de gaieté et d'amour quelques heures auparavant, étaient devenus vides.

— Ben, tu me fais peur. Que se passe-t-il ?

— Eddie.

Il désigna le carton, et ses yeux se remplirent de larmes. Il secoua la tête, incapable d'articuler un mot.

Geena se pencha et tira le carton vers elle. Elle vit un sac à dos déchiré et plein de boue, posé sur un amas confus de vêtements. Dessous, il y avait des livres, une trousse de toilette, une photo toute abîmée, la même que celle qu'elle avait vue sur le bureau de Ben, et une autre photo d'un couple qu'elle supposa être les parents de Ben et d'Eddie. Tout au fond du carton, elle trouva un sweat-shirt de l'université du Texas et, enveloppée dans le sweat-shirt, une statuette maya en argile qui représentait une femme enceinte et qui semblait avoir miraculeusement échappé à la destruction.

Ben prit la statuette dans ses mains tremblantes, incapable de retenir ses larmes.

— Eddie avait acheté ça au marché, le jour où il m'a accompagné au bus de Guatemala City. Une partie de ses affaires a été récupérée au dispensaire, et le reste a été trouvé sur la montagne.

— Et qu'est-ce que ça signifie ? murmura-t-elle avec angoisse.

Il lui tendit la feuille, trempée de larmes. Elle jeta un coup d'œil à l'en-tête, Médicos International, puis parcourut le message dactylographié, en essayant de comprendre son sens.

« Les effets d'Edward Matthews… Tout ce qui a pu être sauvé au dispensaire, dans les ruines du tremblement de terre et de l'inondation… Le Dr Matthews a été vu pour la dernière fois sur le sentier du volcan Santa Maria, où se sont produits des glissements de terrain. On a repêché son sac à dos à des kilomètres en aval, mais son corps demeure introuvable. Les recherches que nous avons effectuées n'ayant donné aucun résultat, nous avons le regret de vous informer que le Dr Matthews est présumé décédé. »

Elle laissa échapper un sanglot, et se rapprocha de Ben pour le prendre dans ses bras.

— Oh, Ben, je suis très peinée pour toi…

Elle comprit, au tremblement qui agitait ses épaules, qu'il s'efforçait de contenir son chagrin, puis il poussa un grognement étouffé, se laissa aller et éclata en pleurs dans ses bras, s'agrippant à elle, mouillant son cou de larmes. Elle le berça comme un enfant, lui murmurant des mots de réconfort, dans l'espoir d'effacer l'horreur de la mort.

Il finit par se calmer et se coucher, jambes repliées, la tête posée sur les genoux de Geena.

— C'est ma faute, marmonna-t-il. Entièrement ma faute, si Eddie est mort.

— Comment peux-tu dire une chose pareille ? C'est... C'était un adulte responsable de ses actes. Il avait choisi d'aller au Guatemala, tu ne l'as pas forcé.

— Il m'admirait et essayait de faire comme moi... et ça depuis qu'il était gosse. Il était trop jeune pour se rendre compte du danger. Il se croyait immortel.

Geena lui caressa les cheveux, en partant des tempes, laissant glisser ses doigts dans les mèches brunes.

— Mais il est vraiment immortel. Il est parti vers...

— Tais-toi, dit Ben en accentuant la pression sur le genou dénudé de Geena.

— La lumière, acheva-t-elle. Ben, que tu sois croyant ou non, je sais qu'Eddie a trouvé la paix et la joie.

Ben se rassit brusquement. Le visage renfrogné, il passa la main dans ses cheveux comme pour effacer la trace de ses caresses.

— Mais il est mort. Mort trop tôt.

— Ecoute-moi. Je te demande simplement de m'écouter, dit-elle en posant la main sur son épaule pour l'empêcher de se lever. Je t'en prie, écoute-moi.

Il se rassit avec mauvaise grâce.

— Qu'est-ce qu'il y a ?

Geena inspira profondément, et se dit qu'elle devait mettre son geste brusque sur le compte de la souffrance. S'il connaissait ce qui attendait Eddie, il aurait moins de chagrin. C'est pourquoi elle lui raconta, par le menu, toutes les sensations, les émotions qui avaient été les siennes pendant son expérience de mort temporaire. Elle n'oublia rien, pas même le moment où sa mère lui avait dit qu'elle aurait un bébé.

Ben l'écouta avec un agacement non dissimulé, poussant de temps en temps un grognement sceptique. Lorsqu'elle eut terminé, il donna un coup de pied dans le carton et se leva d'un bond.

— Pour l'amour du ciel, Geena ! s'écria-t-il avec colère. Mon unique frère est mort, et au moment où je suis malade de chagrin, tu essaies de me consoler avec des contes de fées !

— Ben...

— Je t'ai donné des articles scientifiques qui réfutent les histoires de mort temporaire. Tu ne les as pas lus ?

— Si, mais...

— Alors comment peux-tu rester là à me dire que tu crois encore à toutes ces âneries ?

Geena le considéra d'un air détaché, impassible. Elle avait cru qu'un lien très profond s'était tissé entre eux. Elle avait mis son âme à nu devant lui, et à son tour il lui avait livré les côtés plus tendres de sa personnalité. Et voilà qu'il la rejetait. Elle s'était bien trompée sur lui. Leur relation, au bout du compte, se révélait aussi superficielle que toutes celles qu'elle avait pu avoir dans le passé.

Poussée par l'amour qu'elle lui portait, elle fit une nouvelle tentative.

— Est-il vrai que la science se fonde sur des exemples empiriques ? demanda-t-elle, se rappelant ce qu'elle venait d'apprendre en préparant son DEB.

Il hocha la tête en signe d'assentiment.

— Bien. J'ai un exemple empirique qui prouve ce que je dis. J'ai réellement fait l'expérience de ce qu'Eddie connaît en ce moment. Je sais qu'il ne souffre pas.

— Eddie est mort !

— Ben, tu es encore sous le choc. Cela va passer, et à ce moment-là j'espère que tu trouveras un réconfort dans ce que je t'ai dit.

— Et tu as pensé aux gens qui sont réanimés après un état de mort clinique, et qui n'ont d'autre souvenir que le noir total ?

— J'avoue que je n'ai aucune explication à ça.

— Ah, tu vois ?

— Mais cela n'enlève rien à ce que j'ai connu, affirmat-elle en se levant soudain. Ne peux-tu, au moins, essayer d'ouvrir ton esprit ? Ne peux-tu comprendre, ne serait-ce qu'un instant, qu'il y a plus de choses dans le ciel et sur la terre que dans toute ta philosophie ? demanda-t-elle en paraphrasant Shakespeare.

Elle songea, avec un petit sourire amer, que sa préparation du DEB lui avait été bien utile.

— C'est facile de parler, pour toi. Tu es vivante, rétorquat-il. Si l'au-delà était si merveilleux que ça, pourquoi n'y es-tu pas restée ?

— Je t'ai expliqué pourquoi, répondit-elle, blessée par la dureté de ses sarcasmes. J'ai été obligée de revenir, pour mon enfant.

Il n'avait rien de l'homme perspicace et éclairé qu'elle croyait, s'il n'était pas capable de dépasser ses préjugés de scientifique, et d'accepter l'idée qu'elle disait peut-être la vérité.

— Oh oui, l'enfant ! Tu n'es même pas logique. Tu ne peux pas être enceinte, c'est bien ce que tu m'as dit ? Je ne sais pas ce qui m'a pris de m'amouracher d'une farfelue comme toi !

La cruauté des mots et le ton cassant lui firent très mal.

— Mon expérience de mort temporaire est ce qui m'est arrivé de plus important dans ma vie. Si tu ne peux ni comprendre ni accepter cela, plus rien n'est possible entre nous.

Elle attendit qu'il dise quelque chose pour combler le fossé qui venait de se creuser brutalement entre eux. Il la dévisagea, enfermé dans sa douleur, incapable de penser à autre chose.

— Je vais m'habiller, dit-elle calmement. Ensuite, j'aimerais que tu me ramènes chez moi.

Vingt minutes plus tard, elle entrait dans la maison de Gran, et regagnait sa chambre. Ce ne fut qu'après avoir pris une douche et s'être glissée dans son lit qu'elle donna libre cours à ses larmes. Le temps finirait par atténuer le chagrin de Ben, mais l'éternité ne suffirait pas à les réconcilier.

13.

Ben ne réussit pas à trouver le sommeil. Il erra dans la maison, tour à tour muet de douleur et maudissant Dieu d'avoir permis la mort injuste de son petit frère. Il se décida enfin à appeler ses parents. Annoncer à sa mère que son fils avait disparu fut l'épreuve la plus difficile de son existence. En écoutant ses pleurs à l'autre bout du fil, il eut le sentiment d'avoir failli envers tout le monde en n'ayant pas été capable de protéger son frère.

— C'est tout ce que dit la lettre de Médicos International, dit-il à sa mère, lorsqu'elle fut suffisamment calmée pour demander des précisions. Non, je ne crois pas que ce soit utile d'aller là-bas faire des recherches. La dernière fois que j'ai contacté le coordinateur régional, il m'a dit que cette partie du pays était encore ravagée par les inondations. Je prendrai l'avion pour Austin samedi prochain.

Sa mère le supplia de venir immédiatement.

— Je ne peux vraiment pas partir avant samedi. J'ai un petit patient qui doit commencer une cure de chimiothérapie. Je dois être là au cas où sa mère et lui auraient besoin de moi. Non, je n'oublierai pas d'apporter les affaires d'Eddie. Je t'aime, maman.

Il raccrocha et se laissa glisser sur le sol. Ursula posa une patte sur son épaule en essayant de lui lécher la figure.

— Tout va bien, ma grande, ça va aller, ne t'inquiète pas…

Mais il savait bien que c'était faux, que cela n'irait plus jamais bien. Eddie avait laissé un vide immense derrière lui.

Le lundi arriva, et Ben dut prendre sur lui pour parvenir à accorder à ses patients toute l'attention qu'ils méritaient. Malgré sa détresse, il ne pouvait s'empêcher de penser que sa relation avec Geena était irrémédiablement gâchée. Il savait parfaitement qu'elle avait simplement voulu l'aider, et qu'il s'en était pris à elle parce qu'il souffrait. Mais elle ne se rendait pas compte à quel point elle se fourvoyait.

Il avait été blessé par sa remarque sur son manque d'ouverture d'esprit. Lui qui s'était toujours targué de son aptitude à accueillir les idées nouvelles, les innovations dans tous les domaines… Les expériences de mort temporaire, il considérait que c'était du domaine des sornettes New Age, tout comme les guérisseurs et autres charlatans. En prétendant avoir parlé à sa mère, elle aurait tout aussi bien pu lui demander de croire aux fantômes ! Et en plus, dans une salle d'attente de dentiste ? Il secoua la tête. De toute évidence, cette histoire n'était que le fruit de son imagination. Comment avait-elle pu croire qu'il trouverait dans ces inepties une consolation à la mort d'Eddie ?

Après le départ de son dernier patient, il appela l'hôpital pour prendre des nouvelles de Tod.

— Je suis désolée, docteur Matthews, mais Tod Wakefield n'est pas sur le registre des admissions, lui apprit l'infirmière du service d'oncologie.

Ben fut surpris. Il avait discuté avec le pédiatre oncologiste le vendredi précédent, et avait donc la certitude que la chimiothérapie de Tod était prévue pour le lundi.

— Pouvez-vous vérifier de nouveau, s'il vous plaît ?

— Je l'ai déjà fait, docteur. Voulez-vous parler à l'infirmière en chef ?

— Oui, s'il vous plaît.

Une seconde plus tard, il entendit une voix alerte.

— Ici, Molly Ranelagh. Oui, docteur Matthews ?

— Je vous appelle au sujet de mon patient, Tod Wakefield. Il devait subir une chimiothérapie aujourd'hui, mais on me dit qu'il n'est pas dans votre service.

— Mme Wakefield nous a téléphoné ce matin pour annuler le traitement, répondit l'infirmière. J'ai supposé que cette décision avait été prise en accord avec le médecin traitant de Tod.

— Vous a-t-elle donné une raison de reporter le traitement ?

— Non. Elle a dit qu'elle désirait arrêter le traitement. Elle a été très catégorique. Elle m'a paru… comment dire… *heureuse*. Nous manquons de personnel en ce moment, et je n'ai pas encore vérifié le dossier de Tod. J'ai pensé qu'il était en période de rémission.

— Il n'est pas en rémission, dit Ben d'une voix accablée, en jetant un regard sur la fiche de Tod. Sa dernière analyse sanguine indique une très forte augmentation des globules blancs.

Il dit au revoir à l'infirmière et prit son manteau. Pendant le trajet jusqu'à la maison des Wakefield, Ben essaya de refouler l'angoisse qui l'étreignait. Il arrivait que certains malades en phase terminale choisissent d'interrompre leur traitement, mais il s'agissait, en général, de personnes âgées dans un état désespéré. Tod n'était absolument pas dans ce cas de figure ; il avait toutes les chances de guérir, à condition de suivre ses traitements.

Carrie ouvrit la porte, en robe longue style hippie, le cou orné d'un collier d'argent serti de morceaux de verre violet. Les chants d'oiseaux et les bruits de cascade qu'il entendit surprirent Ben, mais les accords de harpe qui suivirent lui apprirent que la musique venait de la chaîne stéréo du séjour. Une odeur douceâtre d'infusion aux plantes lui chatouilla les narines.

— Bonjour, docteur. Vous êtes venu voir Tod ? demanda Carrie en s'effaçant pour le laisser entrer.

— Je suis venu pour vous parler, Carrie. Est-ce que vous avez une minute ?

— Bien sûr. Billy est endormi, et Tod est dans sa chambre.

Elle le précéda dans le séjour, en faisant tinter le bracelet qu'elle portait à la cheville.

— Puis-je vous offrir une infusion ?

— Non, merci.

Il s'assit sur le bord d'un canapé élimé, et défit la fermeture Eclair de son blouson.

— Je viens de téléphoner à l'hôpital, et j'ai été très surpris d'apprendre que Tod n'y était pas allé pour son traitement.

Carrie s'affala dans un rocking-chair, et balaya de la main les longues mèches qui lui tombaient sur la figure. Puis elle plongea la main dans un sac en toile posé par terre, et en sortit un crochet et des pelotes de coton de toutes les couleurs.

— J'adore le bonnet maya que vous lui avez offert, et j'essaie de fabriquer le même.

— Je suis content qu'il vous ait plu. Mais à propos du traitement de Tod...

Elle prit le crochet dans sa main droite, enroula le coton rouge autour de ses doigts, puis se prépara à reprendre son ouvrage.

— J'aurais sans doute dû vous prévenir plus tôt, mais je savais que vous n'alliez pas être d'accord.

Elle ne se trompait pas. De plus, le son de la harpe commençait à lui taper sur les nerfs.

— Me prévenir de quoi ?

Carrie poursuivait son travail avec un sourire paisible.

— Que j'avais annulé la cure de chimiothérapie de Tod.

— Je suis au courant. Ce que je ne comprends pas, c'est pourquoi vous avez fait cela. S'il s'agit d'une question d'argent, nous pouvons demander un prêt ou une subvention.

Il était même prêt à lui donner l'argent nécessaire, si elle acceptait.

Carrie secoua la tête.

— Cela n'a rien à voir avec l'argent.

— Je sais que la chimio a des effets pénibles, mais croyez-moi, si on l'arrête, ce sera dramatique.

Il ne poursuivit pas. Ils étaient conscients, tous deux, que « dramatique » signifiait « fatal ».

— C'est comme ça. Voyez-vous...

Elle interrompit son travail pour chercher ses mots.

— Tod va s'en sortir. Il n'a plus besoin d'aucun traitement.

Incapable de répondre, Ben la regarda, sidéré. Qu'est-ce qui avait bien pu lui mettre dans la tête l'idée que Tod n'avait plus besoin de traitement ? Un frémissement glacé lui parcourut l'échine. Geena ! Il avait craint les retombées de la réflexion qu'elle avait faite à Tod lors de leur promenade au refuge des oiseaux, mais il n'aurait jamais imaginé que Carrie irait si loin.

— D'après la dernière analyse, le taux de globules blancs de Tod est très élevé, rappela-t-il à Carrie. Il n'est pas du tout en rémission, loin de là. Il ne faut pas se leurrer : s'il ne suit pas son traitement, Tod est en danger de mort.

— Geena lui a dit que son heure n'était pas venue, répliqua Carrie avec une certitude absolue. Geena est morte, puis elle est revenue à la vie, docteur Matthews. Elle est ce qui peut le plus se rapprocher d'un ange. Si elle affirme que Tod ne va pas mourir, je la crois. Elle est allée au ciel, et en est revenue. Elle seule connaît la vérité.

Ben était atterré. Il n'en croyait pas ses oreilles. Il avait envie de s'arracher les cheveux. Il avait envie de secouer Carrie, et surtout d'étrangler Geena. Il fit un effort pour demeurer calme, et joignit les mains devant lui.

— Geena n'est pas médecin. Elle ne peut pas faire ce genre de pronostic.

— Je ferais n'importe quoi pour mon fils, poursuivit Carrie, comme si elle n'avait rien entendu. Mais je ne lui ferai pas subir une autre cure de chimio s'il n'en a pas besoin. Il n'est peut-être pas si malade, et il va guérir.

Ben chancela de stupeur devant ce raisonnement insensé. Elle n'avait même pas l'excuse de l'ignorance, car l'oncologiste et lui-même avaient tout expliqué sur la maladie et son traitement, dans les moindres détails.

Il passa ses deux mains sur la figure, soudain abattu par la fatigue des deux nuits précédentes. Il posa les poings sur ses cuisses, et exhala un long soupir.

— Carrie, quoi que Geena ait pu vivre, cela ne lui a pas donné des pouvoirs infinis. Elle ne connaît pas le destin de Tod, pas plus que je ne le connais. Grâce au secours de la médecine moderne et à une attitude positive, je suis convaincu que Tod peut vaincre sa maladie, mais je n'oserais pas m'en remettre uniquement à la foi.

Carrie avait les yeux embués de larmes, et les mouvements de son fauteuil à bascule trahissaient sa nervosité.

— Il y a des jours où je n'ai que la foi pour me donner le courage d'avancer, docteur. Geena m'a rendu l'espoir.

— Néanmoins, je vous demande de reconsidérer la situation. Il s'agit d'une question de vie ou de mort. Grâce à des traitements appropriés, les malades atteints de leucémie ont soixante-quinze pour cent de chances de guérir. C'est un chiffre non négligeable, mais à condition de suivre le traitement.

Elle tira sur son fil de coton.

— La médecine occidentale n'apporte pas toutes les réponses, docteur Matthews.

— Mais c'est la méthode la plus efficace que nous ayons.

— Oh, ne vous inquiétez pas, je ne vais pas abandonner le sort de Tod entièrement aux mains des dieux, dit Carrie en souriant.

Ben se sentit soulagé.

— Je viens d'entreprendre une thérapie par les plantes.

Il était consterné. Il aurait compris ce genre de comportement dans les villages reculés du Guatemala, mais pas dans l'Amérique moderne !

— Est-ce que c'est Geena qui vous a conseillé ça ?

— Elle n'est même pas au courant, répondit-elle.

Elle jeta un regard à sa montre et rangea son ouvrage.

— Je dois me préparer pour aller travailler, alors si vous voulez bien m'excuser...

Ben se leva.

— Je ne peux pas en rester là, Carrie. Je vais demander au pédiatre du service d'oncologie de vous parler. Est-ce que vous l'écouterez ?

— Bien sûr que je l'écouterai, mais il perdra son temps.

Ben s'arrêta sur le pas de la porte.

— Et Tod, que pense-t-il de l'annulation de son traitement ?

— Il est content à l'idée de ne plus avoir de nausées et de garder ses cheveux. Lui aussi fait confiance à Geena.

Ben quitta Carrie, et se rendit directement chez Geena. Il parcourut l'allée à grands pas, en serrant et desserrant les poings pour essayer de maîtriser sa colère. Ruth vint répondre aux coups frappés sur la porte, et considéra avec une certaine inquiétude son expression de violence contenue. Elle lui dit que Geena se trouvait à l'hôtel de ville, où elle aidait aux préparatifs du défilé de mode qui devait avoir lieu le samedi.

Lorsqu'il arriva dans la grande salle, il fut assourdi par la musique techno qui s'échappait d'un haut-parleur. Il aperçut Geena, debout devant la scène. Elle encourageait Mabel Gribble, qui déplaçait gracieusement son corps imposant le long d'un podium de fortune.

— N'oubliez pas de bien lever les épaules et de garder les hanches souples.

Lorsqu'elle arriva au bout du podium, Mabel aperçut Ben, et sa mine sombre la fit s'immobiliser sur place.

— Vous n'êtes pas censée avoir le trac devant une salle vide, ma chère ! lui cria Geena, qui tournait le dos à Ben. Bon, à présent, remontez la hanche droite, pivotez et revenez d'un pas souple.

Mabel fit signe à Geena de regarder derrière elle. Elle se retourna.

— Ben ! dit-elle en s'avançant vers lui. Je ne t'ai pas entendu entrer. Qu'est-ce que tu en penses ? Bien sûr, ce sera beaucoup mieux avec la musique, ce soir...

Sa voix s'éteignit devant l'expression de son visage.

— Quelque chose ne va pas ?

Ben remarqua le groupe de femmes en robe de soirée qui attendaient sur la scène et les observaient.

— Y a-t-il un endroit où on peut parler ?

— Oui, bien sûr.

Elle jeta un regard circulaire, puis l'emmena vers une porte, au fond de la salle, qui ouvrait sur une cuisine.

— Tu veux une tasse de café ?

— Tu te trompes sur le but de ma visite, dit-il d'une voix grinçante. Et une dose de caféine ne suffira pas à me calmer. Il faut qu'on parle.

Elle lui jeta un regard perplexe.

— D'accord, mais je voudrais qu'on fasse vite, car ces dames ont besoin de ma présence.

— Ce que j'ai à dire est important. Il s'agit de Tod.

— Que lui est-il arrivé ? demanda Geena, saisie de crainte.

— Rien... Du moins pour le moment. Mais grâce à ta réflexion inconsidérée, comme quoi son heure n'était pas venue, Carrie a annulé la séance de chimiothérapie.

— Oh, mon Dieu ! s'écria-t-elle. Je suppose que ce traitement est indispensable...

Ben se demanda comment elle pouvait seulement poser la question.

— Oui, si nous voulons que Tod guérisse, répondit-il sur un ton cassant.

Son visage prit une teinte presque cireuse.

231

— Mais pourquoi Carrie enfreindrait-elle l'avis du médecin pour croire mes paroles et décider que Tod n'a plus besoin de traitement ?

— Elle te prend pour un ange, avec des pouvoirs surnaturels. Tu t'imagines que tu n'as qu'à lever le petit doigt pour obtenir ce que tu veux ? Eh bien, tu n'as pas l'air de le savoir, mais Tod a un cancer. Et il ne suffit pas de dire : « Je veux que mon petit copain guérisse », pour que la maladie s'en aille.

— Attends un peu ! s'écria-t-elle, furieuse. Tu parles de moi comme si j'étais cinglée... J'ai raconté à Tod et à sa mère mon expérience de mort temporaire, uniquement pour les aider à faire face à l'éventualité de la mort. C'était bien plus approprié que ce livre stupide que tu lui as envoyé.

— Je peux admettre que le livre n'était peut-être pas bien choisi, mais toi, tu leur as appris à ne pas avoir peur. Tu leur as mis dans la tête que la mort était acceptable. En tant que médecin et en tant qu'être humain, je dis que la mort n'est jamais, au grand jamais, une issue acceptable pour un jeune garçon de neuf ans qui a toute sa vie devant lui.

— Mais..., bredouilla-t-elle.

— Et au cas où tu l'aurais oublié, tu n'as vraiment aucune qualification pour donner des conseils à des personnes atteintes de cancer.

Elle accusa le coup, mais rétorqua vivement :

— Je possède autre chose que ce qu'on apprend dans les livres. Je suis réellement allée dans l'au-delà. Et j'en suis revenue.

— Si tu as envie de croire aux contes de fées, libre à toi. Mais ne va pas les raconter à un petit garçon impressionnable et à une mère désespérée. Tu t'es certainement rendu compte de l'attirance de Carrie pour les médecines parallèles. Sachant cela, comment as-tu pu lui parler de choses pareilles ?

— Carrie n'est pas folle. Elle voit les choses d'une manière différente, c'est tout.

Elle pointa alors un doigt sur lui.

— Tu m'en veux encore pour ce que je t'ai dit sur ton frère.

— Oublie Eddie pour le moment. Je suis ici pour parler de Tod. Comme tu l'as dit, c'est un petit garçon exceptionnel.

La voix brisée par l'émotion, il dut s'interrompre et respirer profondément.

— Je ne veux pas le perdre, reprit-il. Et ce n'est pas uniquement le médecin qui parle.

— Je sais, dit Geena.

Des larmes brillaient dans ses yeux.

— Oh, Ben, je ressens la même chose que toi... Je parlerai à Carrie. Je lui ferai comprendre.

Il eut envie de lui tendre les bras et de la serrer contre lui ; ils se seraient réconfortés mutuellement. Mais à la pensée de Tod, sa colère reprit le dessus. Si Geena avait diminué les chances de guérison de Tod ne serait-ce que d'un centième, il ne parviendrait pas à le lui pardonner un jour.

— Ce n'est pas la peine, dit-il. Elle est partie travailler. Et de toute façon, tu as déjà fait assez de dégâts comme ça.

Un petit visage timide apparut à la porte.

— Excusez-moi, Geena. Miranda voudrait savoir si elle peut porter des talons de dix centimètres. Erin dit qu'elle est trop jeune.

Geena soupira en roulant les yeux.

— Je viens dans une minute, Marie. Je suis encore en train de parler avec le Dr Matthews.

Ben sortit avec un geste dédaigneux.

— Aucune importance. Nous en avons terminé.

— Je vais tout arranger, Ben ! lui cria-t-elle. Je ne laisserai pas tomber Tod. Je te le promets…

Il se retourna, pour qu'elle puisse lire l'expression menaçante de son regard.

— Ne t'approche plus de Tod et de sa mère.

Mais Geena était bien décidée à ne pas rester à l'écart. Si elle avait créé un problème, elle devait le réparer. Ben avait raison : elle aurait dû réfléchir avant de parler. Mais l'idée ne l'avait pas effleurée que Carrie puisse prendre ses propos pour parole d'Evangile.

Il s'écoula plusieurs jours avant qu'elle n'ait la possibilité de rencontrer Carrie. Entretemps, elle s'était rendue à Everett pour passer son examen du DEB. Elle avait beaucoup travaillé depuis des mois, et Greta lui avait assuré que tout se passerait bien. Malgré tout, Geena avait perdu toute motivation et ne se souciait même plus des résultats. Elle essaya de faire de son mieux pour se concentrer sur les épreuves, mais elle ne pouvait détacher ses pensées de Tod. Carrie allait-elle revoir sa décision ? Tod allait-il s'en sortir ?

Le jeudi, elle se rendit chez les Wakefield en compagnie de sa petite chienne, Merri. Elle frappa à la porte, car la sonnette était cassée.

— Salut ! s'écria Carrie, si chaleureusement que Geena se sentit encore plus coupable. Si vous êtes venue voir Tod, il est à l'école.

— En fait, c'était vous que je voulais voir.

Elle avait emmené le chiot pour amuser Tod, au cas où il aurait été à la maison. Elle ne voulait pas qu'il entende ce genre de conversation.

— Vous êtes sûre que je ne vous dérange pas ?

— Non. Je suis toujours ravie de vous voir. J'allais justement faire du thé vert. Vous en voulez ?

— Oui, très volontiers.

Carrie l'invita à entrer dans une minuscule cuisine aux murs orange et bleu. Le sol était jonché de jouets, et la porte du réfrigérateur décorée par les dessins de Tod. Billy, assis dans sa chaise haute, fit des gestes d'allégresse lorsqu'il vit Geena.

Merri se mit à mâchonner un jouet en plastique, et Geena tira sur la laisse avant de la prendre sur ses genoux. Elle se pencha sur son oreille velue et lui murmura : « Ce pantalon est un Yves Saint Laurent original, alors n'oublie pas les bonnes manières que je t'ai apprises. »

Carrie posa sur la table des tasses à thé et des soucoupes dépareillées.

— J'ai déniché ces vieilles tasses de porcelaine dans la boutique d'occasions de Simcoe. Je vous jure qu'elles donnent bien meilleur goût au thé.

— Gran possède un service de porcelaine, mais elle ne s'en sert jamais car il ne va pas au lave-vaisselle.

— Je n'ai pas ce problème, dit Carrie avec un sourire. Le lave-vaisselle, c'est moi. A propos, je vais donner des cours de méditation au centre de loisirs, le mois prochain, si cela vous intéresse.

— Cela pourrait m'intéresser, murmura Geena.

Elle se rendait compte que plus elle se découvrait de points communs avec Carrie, plus il lui paraissait difficile d'en venir à l'objet de sa visite. Pour prendre des forces, elle versa deux cuillères de sucre dans sa tasse. Merri se mit à renifler le bord de la table à la recherche de grains qui auraient pu tomber, et elle la rappela à l'ordre.

— Tod et moi avons passé une merveilleuse journée, la semaine dernière, dit Carrie en mettant des feuilles de thé dans la théière. Je vous suis reconnaissante d'avoir emmené Billy au parc.

— J'ai été ravie de vous rendre service.

Geena décida que le moment était venu d'aborder l'objet de sa visite.

— Le Dr Matthews m'a appris que vous aviez annulé la chimiothérapie de Tod.

— C'est grâce à vous, répondit-elle avec un grand sourire.

— Ecoutez-moi, dit Geena en levant la main. Je ne veux pas endosser cette responsabilité.

A l'expression du visage de Carrie, elle comprit qu'elle l'avait blessée, mais elle poursuivit.

— Lorsque j'ai dit à Tod que son heure n'était pas encore venue, cela ne signifiait pas qu'il n'avait plus besoin de traitement. Vous devez faire confiance au Dr Matthews et au pédiatre oncologiste. Ils savent mieux que moi comment il faut soigner Tod.

— Mais vous avez rencontré l'Etre suprême… Vous connaissez des choses que les médecins ignorent.

— Au fond de moi, je suis convaincue que j'ai effectivement vu l'au-delà, mais cela ne me donne pas le pouvoir de prédire l'avenir. J'espère de tout mon cœur que Tod guérira, mais je ne peux pas affirmer avec certitude que cela se produira.

Carrie fronça les sourcils, et versa l'eau bouillante dans la théière.

— Alors pourquoi avez-vous dit que l'heure de Tod n'était pas venue ?

— Parce que je souhaite ardemment qu'il guérisse. L'idée qu'il ne puisse pas s'en sortir me paraît inconcevable. J'ai parlé avec beaucoup de légèreté, mais je n'ai jamais pensé que vous prendriez mes paroles au pied de la lettre.

A sa grande consternation, Carrie se mit à pleurer, laissant couler sans retenue les larmes qui inondaient son visage.

— Vous n'y êtes pour rien... Je voulais tellement me persuader que vous aviez raison ! J'ai tout essayé, les pyramides, les plantes aromatiques, la méditation... Tod n'est encore qu'un bébé, pour moi. C'est mon premier bébé. Si je le perds... Oh, Geena, j'ai tellement peur !

Elle se laissa tomber sur une chaise, posa la tête sur ses bras et se mit à sangloter. Voyant cela, Billy commença à renifler et à pleurer à son tour.

Geena posa Merri à terre, ignora provisoirement les larmes de Billy et plaça ses bras autour de Carrie.

— Il ne faut pas avoir peur. Il ne faut jamais avoir peur. C'est là une chose que j'ai apprise, dit-elle en caressant les longs cheveux de Carrie. Je crois sincèrement qu'il existe une vie après la mort. Je crois que Dieu est amour, et l'amour est la seule chose qui compte.

Carrie releva son visage sillonné de larmes.

— Oui, oui, moi aussi je crois en tout cela... Mais je ne peux pas m'empêcher de me torturer. Vous ne pouvez pas savoir... Je reste éveillée la nuit, pendant des heures, à penser à l'avenir avec angoisse. Je ne supporte plus de voir Tod souffrir.

Elle tendit les bras vers son bébé en larmes, et le berça pour essayer de l'apaiser. Ils se mirent à pleurer tous les deux ensemble.

— Je ne prends pas vos craintes et votre chagrin à la légère, croyez-moi, dit Geena en entourant les épaules de Carrie. Vous vivez une situation horriblement difficile, et je veux que vous sachiez que je suis auprès de vous, de Tod et de Billy. Je suis prête à faire tout ce que je peux pour vous venir en aide.

— Merci, répondit Carrie en s'essuyant les yeux du revers de la manche. Excusez-moi... Il m'arrive rarement de craquer comme ça. Il faut que je sois forte pour mes enfants.

— Et vous l'êtes. Je trouve que vous vous en tirez magnifiquement.

Elles entendirent claquer la porte d'entrée, et la voix de Tod résonna dans le couloir.

— Maman, je suis rentré. Qu'est-ce que tu as fait à manger ?

Carrie donna Billy à Geena, pour aller jusqu'à l'évier se jeter un peu d'eau froide sur le visage. Elle prit une profonde inspiration, avant d'expirer lentement, et se recomposa un visage normal, avec une facilité qui dénotait beaucoup d'entraînement en la matière. Elle adressa un pâle sourire à Geena.

— Je n'arrive pas à croire que je n'aie jamais été irritée une seule fois en l'entendant dire qu'il avait toujours faim.

Puis son sourire s'évanouit.

— Avec la chimio, les nausées vont recommencer.

Geena lui pressa la main.

— Ce n'est que temporaire. Si le traitement le guérit, ça vaut bien la peine de supporter ces désagréments, pas vrai ?

Carrie soupira.

— Oui, mais...

— Donc, vous allez voir Ben et lui demander de reprendre la cure de chimiothérapie ?

— Je vais réfléchir à ce que vous m'avez dit.

Elles ne s'étaient pas rendu compte que Tod les avait écoutées. Il courut vers sa mère.

— Je vais être obligé, maman ? Geena a dit que mon heure était pas encore venue !

Carrie attira son fils contre elle.

— Elle a raison. Nous devons y croire. Et quoi qu'il arrive, nous allons nous aimer très fort, tous les deux.

Geena se leva et toucha l'épaule de Tod.

— Prends soin de toi, mon pote. Il se peut qu'on ne se voie pas pendant quelque temps.

Tod leva vers elle son regard innocent.

— Pourquoi ?

Pourquoi ? Parce que Ben le lui avait interdit. Parce qu'elle avait perdu confiance en elle. Parce que la seule idée de nuire à Tod lui était insupportable. Parce que, si tout était fini entre elle et Ben, elle quitterait Hainesville. Pour toutes ces raisons. Mais elle ne pouvait en énoncer aucune devant cet enfant.

Retenant ses larmes, elle lui adressa un sourire, et tira sur les lanières du bonnet multicolore que Ben lui avait offert.

— Il se pourrait que je reprenne mon métier de mannequin, après le défilé de mode. Mon agent me harcèle pour que j'accepte d'aller à Paris.

— Mais j'ai libéré mon scarabée ! s'écria Tod. Et j'ai besoin de toi pour en attraper un autre.

— Ce sera pour la prochaine fois.

Elle lui tordit le nez, faisant semblant de l'arracher avec ses deux doigts.

— Hop là ! Regarde, j'ai pris ton nez.

Tod tenta de lui saisir le pouce, mais sans enthousiasme.

Geena remarqua un livre qui dépassait de la poche de son blouson.

— Qu'est-ce que tu lis ?

Tod lui montra la couverture.

— *Les arracheurs de nez venus de l'espace*, dit-elle. C'est horrible !

Tod gloussa et s'avança vers elle, agitant les mains comme un fantôme. Et juste au moment où elle croyait qu'elle allait s'en tirer en maîtrisant son émotion, le sourire de Tod s'évanouit, et l'inquiétude voila son regard.

— Tu vas vraiment t'en aller ?

Geena se mordit la lèvre.

— Oh, Tod... Je penserai à toi à chaque minute. Je t'enverrai un cadeau spécial pour Noël, d'accord ? Fais-moi un sourire, tu veux ?

Tod lui adressa un sourire embué, et elle le serra tout contre elle, afin qu'il ne voie pas les larmes qui perlaient dans ses yeux.

14.

Le vendredi soir, Geena était en train de préparer les vêtements qu'elle porterait pour le défilé de mode, lorsqu'on sonna à la porte d'entrée. Elle se hâta de descendre, tout en espérant que ce n'était pas Mabel Gribble qui venait se plaindre au sujet des fleurs ou de la musique. Elle ouvrit la porte, et recula d'un pas sous l'effet de la surprise.

— Ben ! Qu'est-ce que tu fais là ?

Ursula s'élança vers elle, et Geena se mit à genoux pour caresser l'animal, ravie de sauter sur l'occasion d'éviter le regard de Ben. Son cœur battait à tout rompre. Son amour pour Ben n'avait pas changé.

— Je pars pour Austin. Mes parents ont prévu une cérémonie funéraire à la mémoire d'Eddie. Je vais passer quelques jours avec eux.

— Tu veux que je m'occupe d'Ursula ?

— Non, je vais la laisser chez les Wakefield. Je suis simplement venu te dire au revoir.

Au revoir... Ces mots la déchiraient. Il ne se doutait pas à quel point ils étaient définitifs, car il ignorait qu'elle ne serait plus là quand il reviendrait.

Elle se releva, et alla jusqu'au tiroir du meuble de l'entrée, où elle avait laissé un chèque.

— J'avais l'intention de t'envoyer ceci, dit-elle en le lui donnant. C'est une contribution au fonds de secours pour le Guatemala.

Ben jeta un coup d'œil sur le chèque et tiqua.

— Dix mille dollars ?

— Si ce n'est pas suffisant, je peux ajouter un zéro.

— C'est bien. C'est plus que bien, c'est infiniment généreux. Tu organises déjà le défilé de mode pour récolter des fonds...

— Je souhaitais apporter ma contribution personnelle.

— Je le répète, c'est très généreux de ta part. Merci, dit-il en se préparant à partir.

— Ben !

— Quoi ?

— Comment va Tod ? Je me suis fait beaucoup de souci.

— Carrie a décidé de poursuivre le traitement.

Geena éprouva un immense soulagement.

— Dieu soit loué, elle a changé d'avis !

— La chimio a été un peu retardée, car l'hôpital avait annulé la date de Tod, mais on lui a trouvé un autre créneau.

— Il ne va pas... Le retard ne va pas... je veux dire... une semaine ne va rien changer, n'est-ce pas ?

Il attendit quelques secondes avant de répondre.

— Probablement pas. Il faudra voir.

— Tu veux bien me tenir au courant ? Je ne vais plus passer chez eux, car j'ai compris que c'est toi qui avais raison... Je ne désire plus me mêler de choses qui dépassent mes compétences. Mais cela ne veut pas dire que ce n'est pas important pour moi.

Elle perçut enfin une expression chaleureuse dans son regard.

— Je t'appelle dès que je sais quelque chose.

— Merci.

Elle ressentit le désir d'aller vers lui pour qu'il la prenne dans ses bras. Ils se seraient réconfortés mutuellement. Ils avaient une telle affection pour Tod qu'il était presque devenu leur propre enfant.

— A propos de la nuit que nous avons passée ensemble...

— Oui ?

— J'en garde un souvenir exceptionnel, mais...

— Je souhaite en rester là, acheva-t-elle à sa place.

— Si tu es enceinte, surtout fais-le-moi savoir.

— Naturellement.

Il ferait son devoir et verserait une pension alimentaire. En retour, elle lui accorderait un droit de visite. Elle se sentit mortifiée à l'évocation de cette perspective.

— Tu devrais y aller, sinon tu vas manquer ton avion.

Elle avait surtout peur de ne pouvoir contenir ses larmes plus longtemps, et ne voulait pas qu'il la voie pleurer.

— Transmets mes amitiés et ma sympathie à tes parents, ajouta-t-elle.

Il descendit deux marches, ce qui lui donna une seconde pour enfermer dans son souvenir la vision de ses larges épaules et de ses longues jambes. Mais il se retourna et, en une seule enjambée, se retrouva tout près d'elle. Il la prit dans ses bras sans un mot, enfouissant son visage dans ses cheveux. Avant qu'elle ait eu le temps de réaliser ce qui lui arrivait, il prit ses lèvres et lui donna un baiser bref et ardent qui lui coupa le souffle.

— Ben ?

Ses yeux n'exprimaient rien, mais cette étreinte avait quelque chose de désespéré et de définitif qui l'effraya.

— J'avais raison la première fois que je t'ai vue, dit-il en caressant une larme sur les joues de Geena. Toi et moi n'avons absolument rien de commun.

— Non ! s'écria-t-elle, tandis qu'il se détachait d'elle. Nous pouvons essayer de réfléchir. Ben, nous avons besoin de parler !

— Tu n'as donc pas compris ? dit-il avec un petit rire ironique. Parler ne servirait qu'à souligner nos désaccords.

— Bonjour maman, bonjour papa, dit Ben en tombant dans les bras de ses parents, dans le hall de l'aéroport.

En respirant le parfum de sa mère, il eut l'impression d'être redevenu un petit garçon, l'espace d'un instant, puis il se rendit compte, en voyant les mèches grises de son père, que ses parents avaient vieilli, même s'ils paraissaient en bonne forme physique.

— Je suis tellement heureuse que tu aies pu te libérer, Ben ! dit Elise Matthews en le serrant de nouveau contre elle.

Elle tenta de refouler ses larmes, et lui sourit.

— Est-ce que tu as des bagages à récupérer ? lui demanda son père en le débarrassant de son sac.

Ben secoua la tête. Il n'avait emporté que son sac et le carton contenant les affaires d'Eddie.

Ils ne dirent pas un mot sur Eddie pendant le trajet jusqu'à leur maison. Les Matthews habitaient une grande ferme, au milieu d'une modeste plantation de pêchers, à vingt kilomètres au sud d'Austin.

— La récolte a été bonne, cette année ? demanda Ben, tandis qu'ils roulaient sur le chemin sinueux qui traversait le verger.

Lorsque son père avait pris sa retraite d'ingénieur informaticien chez IBM, il avait acheté cette plantation. Outre un revenu d'appoint, elle lui apportait une occupation salutaire.

— Trop bonne, même, répondit-il avec fierté. Nous avons été obligés d'engager de la main-d'œuvre saisonnière, car c'était trop de travail pour ta mère et moi.

Ils ne parlèrent pas d'Eddie non plus pendant tout le temps que dura le dîner-barbecue servi dans le patio. Ben ôta plusieurs couches de vêtements pour permettre à sa peau de mieux absorber le chaud soleil du Texas.

Il se demandait si les autres familles réagissaient comme eux devant la mort, faisant semblant de l'ignorer. Mais son instinct lui disait que ses parents et lui ressentaient le besoin de reconstruire un tissu affectif suffisamment solide pour faire face, et ne pas se laisser totalement détruire par leur douleur.

Ben leur parla des oies des neiges, de ses patients, de la pluie, de la rivière. Il écouta les potins sur les voisins de ses parents, les nouvelles de la famille, puis il aida sa mère à débarrasser la table. Et pendant tout ce temps, le carton d'Eddie attendait dans l'entrée, tel un hôte indésirable.

Ben se préparait à le transporter dans le séjour lorsque son père, soit par habitude, soit pour retarder le moment d'accomplir une tâche pénible, alluma la télévision pour voir les informations, ainsi qu'il le faisait chaque soir.

Le présentateur prononça un nom familier, et Ben faillit laisser tomber l'assiette qu'il était en train de ranger.

— De qui parle-t-il ? demanda-t-il en apercevant sur l'écran l'hôtel de ville de Hainesville tout décoré de fleurs et de guirlandes.

— De Geena Hanson, le top model, expliqua Tom. Dis donc, Ben, c'est bien la ville où tu habites ?

— Oui.

Il vint se placer derrière le divan pour mieux voir.

— Oh, mon Dieu, la voilà ! s'écria Elise en venant se joindre à Ben et Tom. Tu la connais, Ben ?

Ben contempla Geena qui avançait sur le podium, d'une démarche ondulante, au rythme d'une bande sonore. Elle affichait un sourire radieux, et il contempla le balancement de ses longues jambes et de ses hanches souples.

— Oui, dit-il, comme grisé. C'est... c'est...

« Une patiente, une amante, une amie, un problème que je n'arrive pas à résoudre. C'est une femme formidable avec les enfants. » Malgré l'énorme erreur qu'elle avait commise, il devait reconnaître que le moral de Tod s'était amélioré à vue d'œil depuis que Geena était entrée en scène.

— Elle m'a aidé avec l'un de mes patients.

— Chut, tu m'en parleras après..., dit Elise avec agacement.

Le présentateur du journal, d'une voix où se mêlaient admiration et amusement, racontait comment on avait appris que le top model Geena Hanson participait à un défilé de mode de bienfaisance, dans sa petite ville natale de Hainesville. L'événement avait attiré les médias de plusieurs pays, et une foule de spectateurs avait envahi la place. Dans les images qui suivirent, Geena apparut en gros plan. Elle irradiait une sorte de lumière intérieure, qui exaltait sa beauté. Le présentateur insinua que, depuis qu'elle avait quitté Milan, Mlle Hanson n'avait

246

pas seulement recouvré la santé, mais qu'elle paraissait aussi nager en plein bonheur.

Cette médiatisation allait certainement générer des propositions de travail, se dit Ben. Si ce n'était déjà fait...

Lorsque le journal aborda un autre sujet, Elise soupira et donna un petit coup de coude à son fils.

— Comment se fait-il que tu ne nous aies jamais parlé d'elle ? Est-ce qu'elle sort avec quelqu'un ? Tu ne l'as jamais invitée à sortir ?

— Voyons, maman !

Il émit un petit rire censé exprimer l'incrédulité, et détourna le visage pour échapper au regard curieux de sa mère.

— Elle n'est pas mon type de femme.

— Ne dis pas de bêtises !

Ils suivirent la page des sports, la météo, toujours comme si c'était un week-end ordinaire, où Ben serait venu les voir à l'improviste. A la fin des informations, Ben coupa la télévision, et le silence s'installa. Il alla chercher le carton d'Eddie et l'apporta dans le séjour. Le visage de ses parents s'assombrit. Assis côte à côte sur le divan, ils joignirent leurs mains en silence.

Ben sortit les affaires l'une après l'autre, en essayant de donner quelques explications à Tom et Elise. Son père saisit le sweat-shirt, en pleurant sans retenue.

— Je me souviens quand il le portait...

Elise prit la petite figurine, et la contempla longuement sans dire un mot. Le cœur serré, Ben regardait le visage de sa mère, y lisant toute la douleur d'une femme qui a perdu son fils. Il fut surpris par les paroles qu'elle prononça quand elle rompit le silence.

— Je crois qu'il est toujours vivant, dit-elle en levant les yeux sur Tom et Ben.

Sans trop savoir pourquoi, Ben songea à Geena, lorsqu'elle avait décrit sa progression vers une source lumineuse.

— Tu veux dire qu'il est au Ciel ?

— Non, je crois simplement qu'il n'est pas mort.

Elle sécha ses yeux et se renversa en arrière, comme pour signifier : « Je refuse de regarder ces affaires pleines de terre. J'attends que ce soit Eddie qui revienne pour les nettoyer. »

Son attitude était si expressive que Ben eut envie de sourire. Mais il n'oubliait pas qu'une grande douleur pouvait déstabiliser le cerveau des personnes les plus équilibrées. Sa mère, pharmacienne à la retraite, avait toujours eu un esprit pragmatique, mais cela n'empêchait nullement qu'elle puisse craquer nerveusement.

— Maman, dit-il doucement. Eddie a disparu. C'est dur à accepter, je sais. Mais s'il était vivant, nous aurions eu de ses nouvelles, à cette heure. Toutes les équipes de sauveteurs ont fouillé le secteur.

— Ils n'ont pas trouvé son corps, répliqua Elise.

— Elise, ma chérie, dit Tom en prenant la main de sa femme. Il est trop tard, il faut nous résoudre à ne plus espérer, car ça ne pourrait que rendre les choses plus dures à accepter.

— Cela m'est égal, répondit-elle.

Elle prononça ces mots avec une sorte d'entêtement empreint de sérénité et de confiance.

— Eddie n'est pas mort, répéta-t-elle. Je ne peux pas expliquer comment je le sais, mais le contact de cette figurine dans ma main me communique une certitude qui me touche au plus profond de mon être. Eddie va revenir chez nous. Appelez cela l'intuition d'une mère, dites que je suis folle si vous voulez, mais vous ne me ferez pas croire autre chose.

Elle posa la figurine sur la table basse.

— Il reviendra à cause d'elle.

Ben échangea un regard avec son père.

— La cérémonie funéraire aura lieu demain, n'est-ce pas ?

— Oui. Il s'est passé une longue semaine.

Il regarda sa femme en fronçant les sourcils.

— J'espère que tu y assisteras, lui dit-il.

— Je viendrai, répondit Elise. Mais n'attendez pas de moi que je pleure.

Elle se leva, serra Ben dans ses bras, et lui adressa un petit sourire en voyant son expression inquiète.

— Je vais très bien. Juste un peu fatiguée. On se voit demain matin.

Tom attendit qu'elle ait quitté la pièce.

— Ta mère a traversé des heures très pénibles, et le fait d'avoir vu les affaires d'Eddie a sans doute provoqué un choc.

Ben acquiesça, ne sachant quoi dire pour rassurer son père.

— La cérémonie lui fera peut-être prendre conscience de la réalité. C'est très dur de ne pas avoir... de corps. Peut-être aurait-on dû attendre un peu. C'est un peu tôt, pour un service funéraire.

— Tu veux dire que tu crois que ta mère a raison ? demanda Tom avec espoir.

Ben secoua la tête, à regret.

— Si Médicos International a abandonné les recherches, il y a très peu de chances qu'Eddie soit encore vivant. Tu as vu les images, à la télévision... Des tonnes de boue ont enseveli des villages entiers, et les bâtiments qui n'ont pas été touchés par les inondations ont été réduits à des amas de décombres par le séisme. Des milliers de corps restent à identifier. Certains ne le seront sans doute jamais. Et puis, il y a son sac à dos. Il ne s'en séparait jamais.

Tom poussa un profond soupir.

— Tu as sans doute raison.

Le service funéraire fut suivi par une assistance nombreuse. Eddie avait fréquenté le lycée local, et tous ses anciens camarades gardaient de lui le souvenir de ses exploits sportifs, mais aussi de sa forte personnalité et de son sens de l'humour. L'un après l'autre, ils firent l'éloge de leur ami, une épreuve très douloureuse pour Ben qui ne parvenait toujours pas à accepter que Dieu ait fauché cette jeune vie pleine de promesses.

Il ferma les yeux, plongé dans ses pensées. Des images de son frère à diverses périodes de sa vie se mirent à défiler dans son esprit. Des batailles au pistolet à eau, les moments passés à flotter sur le Colorado sur des chambres à air, Eddie arrivant premier du cent mètres, sa fierté le jour où Eddie s'était avancé sur le podium de la faculté pour recevoir son diplôme de médecin…

D'autres images remontèrent à la surface. Il se voyait repoussant les gros bras de l'école, irrités par les propos incisifs d'Eddie, il se voyait le ramenant à la maison sur son dos, le jour où il s'était fracturé la cheville en tombant de la piste de skate-board. Il se revoyait en train de lui prendre ses clés de voiture à la fin d'une soirée où il avait bu trop de bière. A présent qu'Eddie avait disparu, un élément de sa raison de vivre s'était envolé. On n'avait plus besoin de lui pour prendre soin de son petit frère.

Il lui faudrait bientôt se lever pour prononcer l'éloge funèbre. Il redoutait cet instant et craignait de se laisser submerger par l'émotion. A vrai dire, il avait peur que le fait de parler de la mort d'Eddie ne la rende encore plus réelle et irrémédiable.

Il sentait ses yeux fermés s'embuer, et il les serra fortement pour refouler les larmes. Subitement, une autre image s'imposa à son esprit : Eddie tel qu'il ne l'avait jamais vu dans la vie réelle. Il le vit flottant dans les airs, au-dessus d'un village de montagne, ses cheveux blonds auréolés de lumière blanche, et son visage souriant qui rayonnait de joie. Il se produisit un éclair aveuglant, et Eddie se fondit dans la lumière, ne faisant plus qu'un avec elle. Cette image était si forte qu'un éclat de rire explosa dans sa gorge, et que des larmes de joie inondèrent ses joues.

Il revint brusquement à la réalité, ouvrit les yeux, et changea son rire en toux, sous les regards de l'assistance. Il ferma de nouveau les yeux, mais la vision avait disparu. Il se demanda si l'apparition s'était vraiment manifestée, ou s'il n'avait pas tout simplement pris ses désirs pour des réalités.

La vision n'avait duré que deux secondes, mais elle produisit un contrecoup profond, comme un rêve pénétrant qui laisse en proie à une forte émotion. Au moment où il se leva pour parler de son frère devant l'assemblée, il constata qu'il avait le cœur plus léger, et il réussit même à sourire. Sans qu'il sache pourquoi, son chagrin s'était envolé. Lorsqu'il parla de son frère, il utilisa le présent, comme si, d'une manière ou d'une autre, Eddie était encore de ce monde.

*
* *

— Merri, viens, ma belle... On va se promener.

Geena prit la laisse pendue à un crochet, et le chiot traversa la cuisine en trottinant, tout heureux et pressé de sortir.

— A tout à l'heure, Gran.

Ruth, qui était devant la cuisinière en train de remuer la soupe, jeta un regard par la fenêtre et frissonna. Il tombait une sorte de neige fondue qui devait être glacée.

— Tu as fini tes bagages ? N'oublie pas que tu dois partir pour l'aéroport dans une heure, et que les routes sont verglacées.

— Je ne m'absente qu'un moment. Je veux juste dire au revoir à quelqu'un.

— J'ai appris que Ben était revenu hier soir.

— Je lui ai déjà dit au revoir, répondit Geena en ouvrant la porte.

Elle avait coiffé un bonnet bien chaud, et boutonné son épais manteau d'hiver jusqu'au cou. Elle posa le pied avec précaution sur les marches glissantes, en tenant fermement la laisse de Merri qui tirait dessus avec énergie, tant elle avait hâte de gambader dehors. Geena avait mis dans sa poche l'enveloppe encore fermée qui contenait les résultats du DEB.

Avant de tourner le coin de la maison, elle jeta un coup d'œil. Elle se réjouit de ne voir aucun reporter à l'horizon. Pendant les jours qui avaient suivi le défilé de mode, elle avait été très sollicitée par les médias. Les clips du journal télévisé avaient été diffusés dans tout le pays, et son agent la harcelait au téléphone, la suppliant de revenir. L'agence la demandait, même si elle avait pris dix kilos depuis le mois d'août, et la presse laissait entendre que son nouveau look pourrait susciter un retour à des formes plus voluptueuses chez les mannequins.

Cette idée avait bien fait rire Kelly et Erin, car elles considéraient que leur sœur demeurait encore bien plus mince que l'Américaine moyenne. Geena les remerciait de lui avoir fait garder les pieds sur terre. Mais elle regrettait que sa prise de poids n'ait pas abouti à ce qu'elle désirait le plus au monde. Mis à part quelques traces de sang le mois précédent, ses règles n'étaient toujours pas revenues. Elle commençait à croire que sa rencontre avec sa mère n'avait été qu'un rêve.

En passant devant la maison de Tod, elle s'arrêta un instant et regarda la lumière qui brillait dans sa chambre. Elle serait triste de ne plus le revoir, mais il arriverait à s'en sortir sans elle. Elle soupira et poursuivit son chemin dans la bise glaciale de ce froid après-midi d'automne. Elle palpa sa poche et entendit le bruissement sec du papier froissé.

Elle songea que, si elle avait échoué, il ne lui resterait plus qu'à reprendre son métier de mannequin. Mais si elle avait réussi, elle se trouverait soudain confrontée à d'autres possibilités de choix, qui ne feraient que lui compliquer la vie. Une toute petite voix, en elle, espérait l'échec. Sans se tracasser, elle participerait à la rétrospective Dior à Paris, et après... Après, elle verrait bien. Et Ben ? Se soucierait-il de savoir où elle serait dans un mois ? Dans un an ?

En arrivant devant la maison de Greta, elle poussa le vieux portail grinçant, et remonta avec précaution l'allée glissante. Elle vit bouger un rideau à la fenêtre du séjour. Un instant plus tard, la porte d'entrée s'ouvrit, et une silhouette apparut sous la lampe du perron.

— Geena, c'est toi ?

— J'aime beaucoup ce que vous portez, dit Geena.

Elle jeta un regard admiratif devant le pull de cachemire très chic et le pantalon assorti que Greta s'était achetés. Le défilé de mode avait marqué un véritable tournant dans la vie de son ancien professeur.

— Entre, mon enfant.

Geena essuya ses bottes sur le paillasson, et prit Merri dans ses bras pour éviter qu'elle ne salisse le parquet de Greta.

— Tu gâtes trop ce chien, dit Greta en les emmenant dans le séjour.

— La fille de Kelly, Robyn, va la dresser à obéir dès la semaine prochaine, en compagnie de son petit chien.

Greta la considéra de son œil perçant.

— Et toi, où seras-tu à ce moment-là ?

— Je m'envole pour Paris ce soir, j'ai un défilé de mode qui m'attend.

— Ainsi, tu nous quittes. Tu quittes Ben et Tod, et tous ces gens qui aimaient tant que tu ailles les voir, dit Greta en secouant tristement la tête. Tant pis... Fais ce que tu dois faire. Bien, si on parlait des résultats de ton DEB, à présent ?

Geena lui tendit l'enveloppe.

— Comment saviez-vous que je les avais reçus ?

— J'ai une autre étudiante qui a reçu les siens hier, répondit-elle en ouvrant l'enveloppe. Tu n'as même pas vérifié tes notes. Qu'est-ce qui ne va pas ?

Elle prit ses lunettes et les posa sur le bout de son nez. Les quelques secondes qui s'écoulèrent, le temps de parcourir la page, semblèrent une éternité à Geena. Merri la lécha partout sur le menton, et elle eut le temps d'écailler la moitié du vernis de son pouce, avant que Greta ne finisse par lever les yeux.

Celle-ci sourit en enlevant ses lunettes.

— Félicitations. C'est excellent, 93 points sur 100 !

Geena demeura bouche bée.

— Ouah ! Je n'en reviens pas... Faites voir.

Elle prit le papier, et constata que c'était bien vrai. Elle avait réussi haut la main. Elle n'était peut-être pas si stupide, après tout.

— Alors, que vas-tu faire, maintenant ?

— Je vous l'ai dit. Je vais à Paris.

— Mais après ? Tu peux entrer à l'université, faire les études de ton choix. Tu aimes bien le contact des autres. Tu pourrais te diriger vers le social, ou un métier de relations publiques.

— Je ne sais pas encore, répondit-elle avec hésitation. Depuis quelque temps j'ai une impression de vide. Je ne sais pas trop où j'en suis.

— C'est à cause de Ben, n'est-ce pas ?

Elle fit oui de la tête.

— Tout est fini entre nous. Nous sommes trop différents.

Greta poussa un grognement irrité.

— Qui t'a dit ça ?

— C'est lui. Il me trouve trop superficielle.

— Et tu le crois ? S'il prenait le temps de réfléchir une seconde, il se rendrait compte à quel point il se trompe !

Geena secoua la tête.

— C'est inutile.

Greta lui prit la main, avec une force qui la surprit.

— Il y a de cela bien longtemps, je me suis laissé convaincre par mes parents que le jeune homme que j'aimais n'était pas assez bien pour moi. J'ai renoncé à lui, et depuis il ne s'est pas écoulé un seul jour sans que je le regrette.

— Vous l'avez laissé partir ? Mais je croyais…

— Tu as probablement entendu les bruits qui ont couru dans cette ville, comme quoi il m'avait laissé tomber, dit Greta. Il m'aurait été plus facile de l'oublier, si cela avait été le cas.

— Qu'est-ce qui s'est vraiment passé ?

Greta répondit d'une voix tremblante :

— J'étais enceinte. Il voulait m'épouser, mais mon père a réussi à me convaincre que ce serait une catastrophe. Alors, je lui ai dit adieu, et… je me suis fait avorter.

— Oh, Greta…

— Ce n'est pas cela qui a été le plus dur. A la suite de cet avortement bâclé, j'ai contracté une infection, et on a dû me faire une hystérectomie. A l'âge de vingt-cinq ans, j'ai dû accepter l'idée que je ne pourrais plus jamais avoir d'enfant à moi.

— Oh, Greta… C'est pourquoi vous ne vous êtes jamais mariée.

Greta hocha la tête, et demeura silencieuse.

— J'ai encore autre chose à t'avouer, dit-elle au bout d'un moment. Le chien qui s'est jeté devant la voiture de tes parents, le soir où ils sont morts, était à moi.

Geena ne s'était pas attendue à recevoir autant de révélations stupéfiantes d'un seul coup.

— Mais… l'accident a eu lieu à 1 heure du matin.

— C'est cette nuit-là que j'ai annoncé à mon amoureux que je venais d'avorter. C'est la nuit où il a quitté Hainesville pour ne plus jamais revenir. J'avais sorti mon chien, car je n'arrivais pas à dormir.

Les yeux de Greta s'emplirent de larmes.

— Je me sentais tellement coupable, aigrie, et surtout tellement jalouse de ta mère avec ses trois jolies petites filles, que j'ai répandu le bruit que ton père était ivre. Oh, Geena, pourras-tu jamais me pardonner ?

A cet instant, la rancune qui avait fait son nid dans le cœur de Geena s'évanouit. Elle s'approcha du divan et entoura de son bras les épaules de Greta.

— Bien sûr que je vous pardonne ! Je suis si désolée pour tout ce que vous avez souffert. Vous avez gardé tout cela pour vous pendant toutes ces années.

— N'en parle à personne, dit Greta en se tamponnant les yeux avec un mouchoir qu'elle avait tiré de sa manche. Je n'avais pas l'intention de me confier à toi, mais tu as été si gentille avec moi, même lorsque je me suis montrée méchante...

Elle plissa les yeux et considéra Geena curieusement.

— Au fait, pourquoi as-tu été si gentille avec moi ?

— Parce que c'est ce que ma mère aurait souhaité.

— Ta mère était une femme adorable, dit Greta en souriant à travers ses larmes. Tu me fais penser à elle.

Geena ne put retenir ses larmes.

— Personne ne m'a jamais dit quelque chose d'aussi gentil.

— Ne répète à personne ce que je t'ai confié, insista Greta. Je ne pourrais pas supporter qu'on ait pitié de moi, après tout ce temps.

— Même pas à mes sœurs ?

— Je suppose qu'elles méritent d'apprendre la vérité, mais fais-leur jurer de garder le secret.

Greta prit une profonde inspiration, puis expira lentement.

— A présent, j'espère que mon récit t'a convaincue de donner une seconde chance à Ben.

— Je pense que ce serait plutôt à Ben de me donner une seconde chance.

— Parle-lui, au moins, dit Greta avec insistance. Essaie de te réconcilier avec lui. Laisse tomber Paris. C'est ta vie qui est en jeu.

— Je ne peux pas laisser tomber Paris. Mes bagages sont prêts, et j'ai pris mon billet d'avion. Il y a des gens qui comptent sur moi, là-bas...

Elle s'interrompit, et jeta un coup d'œil sur sa montre.

— Oh, mon Dieu ! Il faut que je me dépêche, si je ne veux pas manquer l'avion.

Elle serra Greta dans ses bras et déposa un baiser sur sa joue.

— Prenez soin de vous. Et merci pour tout.

— Merci à toi, ma chérie.

15.

— Je suis désolée, Ben. Elle est partie, dit Ruth Hanson en le regardant d'un air contrit à travers ses immenses lunettes.

— Partie, répéta-t-il comme s'il ne comprenait pas… A Simcoe ? A Seattle ?

— A Paris. Elle a accepté de faire un défilé.

La nouvelle le frappa en plein cœur. Il comptait la voir, et il s'était précipité chez elle après avoir atterri, sans passer par son domicile.

— Est-ce qu'elle a laissé un message pour moi ?

— Désolée, répéta Ruth avec regret. Je peux vous donner le numéro de son mobile. Mais elle n'est pas facile à joindre, à cause du décalage horaire… Et puis, il y a aussi le fait qu'elle ne se lève jamais avant midi, et qu'elle rentre toujours très tard le soir.

Ben nota le numéro sur un morceau de papier, et le rangea dans son portefeuille.

— Quand revient-elle ?

— Elle ne savait pas trop. Elle m'a dit qu'elle irait peut-être à Londres, après.

Une petite boule de poils noirs surgit des jambes de Ruth et se jeta sur Ben en frétillant.

— Tu es un bon chien, Merri, dit-il distraitement en la caressant derrière les oreilles.

— J'espère qu'elle ne va pas retomber dans ses vieilles habitudes, dit Ruth avec inquiétude. Arrêter de manger, prendre des cachets...

Ben fit un signe de dénégation.

— Je suis persuadé que non, répondit-il, tout en se demandant pourquoi il en était aussi sûr. Merci, Ruth. Je lui téléphonerai.

— Bonne chance, Ben. Elle a besoin qu'on l'aime pour elle-même.

— Je sais, dit-il avec un clin d'œil.

Geena était assise à la terrasse d'un café des Champs-Elysées, devant un verre de Ricard. Elle ouvrit l'enveloppe que son agent lui avait fait suivre, et découvrit qu'elle renfermait une carte de Tod. Ce dernier avait dessiné des avions de combat qui lançaient des missiles sur un char blindé. Une énorme explosion colorée en rouge et orange était censée représenter un autre tank qui avait sauté. Elle sourit devant ce dessin, typique d'un petit garçon de neuf ans. Mais lorsqu'elle découvrit l'intérieur de la carte, son sourire se transforma en larmes. Il avait fait un portrait d'elle : une femme avec de longues jambes qui ressemblaient à des échasses, et un cou de girafe. Elle donnait la main à un petit garçon presque chauve. Celui-ci portait un grand cœur rouge sur le devant de son T-shirt.

Au-dessous, il avait écrit au crayon : « Qui a inventé l'argent de poche ? »

Elle sourit en pensant : « Je donne ma langue au chat, Tod. »

En suivant la flèche, elle tourna la page et lut la réponse :
« Le kangourou. »

Geena se mit à rire, d'un rire qui se transforma bientôt en pleurs. Elle éprouvait une affection profonde pour cet enfant, et n'avait pas imaginé qu'il lui manquerait à ce point. Elle ne l'aurait jamais abandonné si Ben n'avait cru bon de lui ordonner de le faire. Mais, en y repensant, son entrevue avec Greta lui avait appris que, si elle avait pu pardonner les offenses d'un ennemi, elle n'aurait aucun mal à pardonner celles de l'homme qu'elle aimait.

A 18 heures, au moment où Ben s'apprêtait à partir pour la Steakerie, son téléphone se mit à sonner. Il le regarda fixement, comme hypnotisé, le cœur battant. Et si c'était Eddie ?

Finalement, lorsqu'il réalisa qu'il en était à la huitième sonnerie, il se précipita, manquant le faire tomber du bureau.

— Allô…

— Ben ?

— Geena ?

La joie fit place à la déception, immédiatement suivie d'irritation.

— J'ai essayé de te joindre toute la semaine. Pourquoi ne m'as-tu pas rappelé ?

— Parce que tu n'es pas réveillé au même moment que moi. Si tu commences à m'accuser, je raccroche.

De toute évidence, elle était d'humeur batailleuse.

— Bon, d'accord…

— J'ai beaucoup réfléchi, et j'ai deux ou trois choses à te dire.

Il se doutait un peu de ce qui allait suivre, mais il était prêt à l'entendre, reconnaissant qu'elle avait bien gagné le droit de soulager son cœur.

— Vas-y, je t'écoute.

— Avant de commencer, je voudrais que tu me dises comment va Tod.

— Il a été hospitalisé hier pour une nouvelle cure de chimio. Il a toujours des nausées, mais c'est un petit bonhomme très courageux. Je lui ai promis de l'emmener à la Steakerie dès qu'il se sentira mieux. J'oubliais... Il a beaucoup aimé les cadeaux que tu lui as envoyés.

Elle poussa un soupir de soulagement.

— Bien. A présent, Ben...

« Nous y voilà », se dit-il.

— Je veux que tu saches que tout ce que j'ai fait, c'est d'offrir à Tod et à sa mère mon amitié, ma sympathie... J'ai essayé de les aider dans la mesure de mes possibilités. Je n'ai jamais dit à Carrie d'arrêter le traitement. Ce n'est pas ma faute si elle a mal interprété mon souhait de voir Tod recouvrer la santé. Je ne suis sans doute pas qualifiée pour donner des conseils à des patients atteints de cancer, mais j'aime cet enfant. Et je crois que c'est cela qui compte.

— Oui...

— Tu as exigé de moi que je reste à l'écart, mais je ne vois pas pourquoi je t'obéirais, comme si tu étais un dieu. Je sais que je manque parfois de confiance en moi, mais, concernant Tod, je suis certaine que je lui apporte beaucoup. Les médecins peuvent lui faire absorber tous les médicaments de la terre, mais ils sont incapables de mesurer le pouvoir de guérison qui rayonne d'un cœur aimant.

— J'ai compris tout cela, approuva-t-il d'une voix calme.

— Et puis autre chose… Qu'est-ce que tu as dit ?

Il trouvait dommage qu'elle soit à des milliers de kilomètres, à l'autre bout d'une ligne téléphonique. S'il avait pu la prendre dans ses bras, tout aurait pu s'arranger plus facilement.

Il respira profondément avant de se lancer.

— Je suis médecin, et mon seul but dans la vie est de guérir les malades. Tu sais que j'ai aussi beaucoup d'affection pour Tod, et j'ai vraiment à cœur de le voir guérir. En réalité, je crois que j'avais peur de ce que je ne comprenais pas, peur à l'idée que tous les efforts de ma médecine ne se révèlent impuissants dans le cas de Tod.

Il fit une brève pause avant de poursuivre.

— J'étais jaloux de toi, de ta sérénité devant la perspective de la mort. J'étais jaloux à l'idée que tu pouvais jouer un rôle plus important que la science dans la guérison de Tod. Si moi, médecin, je ne suis pas en mesure de combattre la maladie, il ne me reste presque plus de raison d'être. Je sais que tout cela a quelque chose d'irrationnel. Et ce n'est pas digne d'un médecin… ni d'un être humain, d'ailleurs.

— Ben…

— Pour terminer, et c'est là le cœur du problème… C'est incroyablement difficile à avouer… Tu m'as obligé à me regarder en face, et à comprendre que je ne suis peut-être pas aussi éclairé et large d'esprit que je le croyais.

Le silence qui suivit dura si longtemps qu'il se demanda si la ligne avait été coupée.

— Geena ?

— Je pense que tu te trompes, dit-elle. Accepter quelque chose qui met en question tout ce en quoi on a toujours cru, ce n'est pas facile. Si je n'avais pas fait cette expérience, j'aurais eu du mal à accorder foi à ce phénomène. Dans des livres qui traitent du sujet, j'ai lu que des mariages ou des relations familiales se trouvent souvent brisés, une fois qu'une personne a vécu cette expérience, tant sa vie et sa vision du monde en sont transformées.

Ben poussa un profond soupir.

— La science n'explique pas tout dans la vie, et nous ne devrions pas le lui demander.

— Donc, j'en conclus que j'ai raison et que tu as tort ? Est-ce que tu peux me mettre ça par écrit ?

Il saisit, à son grand soulagement, l'intonation espiègle de sa voix. Elle était prête à lui faire grâce.

— En lettres de sang, s'il le faut. Pendant que je suis à plat ventre devant toi, j'en profite pour te dire que ton récit de mort temporaire m'a aidé à surmonter mon chagrin après la mort d'Eddie. Il m'est arrivé une chose très bizarre : c'est que dès l'instant où j'ai accepté sa mort, je me suis mis à croire qu'il était toujours là. Je ne peux pas dire si je le crois vivant au sens spirituel ou littéral, mais quelque part, je sais que tu as raison.

Elle lui répondit d'une voix radoucie.

— Merci de comprendre, et d'accepter... Et surtout, merci de me le dire. Tu ne peux pas savoir ce que cela représente pour moi.

— Et toi, tu ne peux pas imaginer ce que tu représentes pour moi, Geena. Dis-moi, quand reviens-tu ?

— Je... je ne sais pas. Je dois me rendre à New York dès que la présentation sera terminée. J'ai quelqu'un à rencontrer et des tas de choses à faire.

— Je vois.

A vrai dire, il ne voyait rien du tout. Il se demandait si elle allait revenir un jour. Ils avaient abordé plusieurs sujets sensibles, et il ne se sentait pas le courage de lui demander des explications.

— Et à propos, est-ce que tu as reçu les résultats de ton DEB ?

— Oui. J'ai obtenu 93 points sur 100.

— Je n'en suis pas surpris. J'ai toujours su que tu réussirais haut la main.

— Mais… Ben… J'ai décidé de… de ne pas poursuivre mes études à l'université.

Il demeura muet de stupeur. Tout au fond de lui, il s'était imaginé qu'elle embrasserait une nouvelle carrière dans le domaine social ou, tout au moins, une profession qui la rapprocherait de lui. Il avait toujours imaginé son avenir auprès d'une femme du genre de Penny, l'infirmière britannique qu'il avait connue au Guatemala, une femme sérieuse, dévouée, aimante. Mais il ne fallait plus y songer.

Geena, en plus d'être dévouée et aimante, possédait une qualité supplémentaire. Il se rendait compte que ce qu'il avait pris autrefois pour de la frivolité n'était en fait qu'une formidable envie de vivre. Cependant, il n'avait pas prévu que Geena se remettrait à parcourir le monde en papillonnant : c'était là une perspective qui lui déplaisait terriblement. Peut-être était-ce égoïste de sa part, mais en même temps il devait à Geena d'avoir découvert ce trait de sa personnalité.

— Pourquoi ? dit-il enfin.

— Je ne me sens pas faite pour cela. Je sais que tu es très déçu.

— Je n'ai pas le droit d'être déçu. Ce qui importe, c'est ce que, toi, tu veux. Ce qui compte pour moi, par-dessus tout, c'est que tu sois heureuse.

— Merci.

— Donc… Je suppose que je te reverrai quand je te reverrai.

Après un silence, il ajouta :

— Tu te souviens que tu m'avais demandé de ne pas te le dire avant que je ne sois prêt ? A présent, je suis prêt. Je t'aime, Geena.

Elle ne répondit pas.

— Cela vient trop tard ?

Si elle n'avait rien dit, c'était parce qu'elle pleurait.

— Il n'est jamais trop tard pour dire à quelqu'un que tu l'aimes, Ben.

C'était vrai. Mais ce n'était pas une réponse à sa question.

Geena monta à bord de l'avion qui l'emmènerait de New York à Seattle avec une certaine appréhension.

Si, après tout ce qu'ils avaient traversé ensemble, elle avait mal interprété ses remarques, ou si elle avait commis des erreurs, elle ne se le pardonnerait jamais. Mais lorsque l'avion décolla, provoquant une brève sensation de vide dans son estomac, un sentiment de joie prit le pas sur l'inquiétude. Elle le verrait dans quelques heures. Il lui avait beaucoup manqué, et ils avaient tellement de choses à se dire. Elle espérait qu'il éprouverait le même bonheur qu'elle.

On était vendredi, et le temps de rejoindre Hainesville par la route, la nuit était déjà tombée. A cette heure, Ben devait avoir terminé sa journée de travail, ou presque. Elle songea à se rendre à la Steakerie, où elle serait sûre de le rencontrer. Puis, trop pressée de le voir, elle changea d'avis et prit la direction du cabinet médical.

La salle d'attente était vide, et Barbara, la réceptionniste, se préparait à partir.

— Geena ! s'écria-t-elle. Quand êtes-vous rentrée ?

— Je viens d'arriver, répondit-elle en jetant un regard vers la salle de consultation. Est-ce que Ben est encore là ?

— Il est en train de remplir des papiers.

Barbara s'empressa d'aller frapper à la porte de Ben, avec un clin d'œil de conspiratrice à l'adresse de Geena.

— Il y a quelqu'un pour vous, docteur.

— Faites entrer, répondit-il distraitement.

C'était bien de lui. Il ne lui venait jamais à l'idée de renvoyer un patient, quelle que soit l'heure, et quel que soit son état de fatigue.

Barbara, laissant la porte entrouverte, fit signe à Geena.

— Allez-y. Moi, je rentre chez moi.

Geena s'arrêta un instant sur le seuil pour le regarder. Il avait la tête baissée, les cheveux tout ébouriffés à force d'y passer les doigts, et son stylo courait sur le papier avec un léger crissement. Elle traversa la pièce à pas lents, en contournant une pile de cartons.

— Je suis à vous dans une minute, murmura-t-il, sans lever les yeux.

Puis il marqua un temps d'arrêt, prit une inspiration, et elle comprit qu'il avait reconnu son parfum. Il leva la tête.

— Geena !

— Bonsoir, Ben.

Son cœur battait la chamade, elle dut se faire violence pour ne pas courir se jeter dans ses bras. D'un mouvement décontracté, elle se laissa tomber sur une chaise et croisa les jambes. Ils étaient revenus à leur point de départ.

Il posa le regard sur sa jambe mince et blanche, qui émergeait de l'ouverture de son long manteau, puis sur la chaussure à talon haut qui se balançait au bout de son pied. Il remit le capuchon de son stylo et s'adossa à sa chaise.

— J'ignorais que tu étais rentrée.

Tout au long du voyage de retour, à bord de l'avion qui la ramenait au pays, Geena avait eu le temps de se réconforter, de se réjouir et de se mettre au supplice en se remémorant la couleur de ses yeux, le petit sillon sur son menton, la largeur de ses épaules… le contact de ses mains sur sa peau.

Elle inclina la tête de côté pour examiner ses ongles.

— Je suis là pour mon rendez-vous. Tu avais insisté pour que je revienne faire une visite de contrôle.

— C'est exact, dit-il en jetant un regard sur son bureau. Je crois que je n'ai pas ton dossier sous la main. Attends une minute, je vais le chercher.

Il revint un instant plus tard, posa le dossier sur son bureau, suspendit son stéthoscope autour du cou, avant de s'emparer du tensiomètre.

Geena se leva et, d'un mouvement d'épaules, laissa glisser son manteau fourré sur la chaise derrière elle. Ben tressaillit devant la vision qui s'offrait à lui. Il faut dire qu'elle avait longuement réfléchi à la toilette qu'elle porterait à l'instant de leurs retrouvailles. Elle avait choisi une robe qu'elle avait présentée à la collection d'automne, une robe de jersey de soie qui la moulait légèrement, mettant en valeur les nouvelles courbes de sa silhouette. Elle se demandait s'il remarquerait le galbe de ses seins.

Elle remonta sa manche gauche au-dessus du coude, lui présentant la nudité de son bras. Elle lut dans son regard le désir de poser les lèvres sur son poignet, de les promener lentement le long de son bras, et elle sentit son corps fondre de plaisir à cette idée.

— Alors ? dit-elle en se rapprochant pour lui mettre son bras sous le nez. Tu ne prends pas ma tension ?

D'un geste mal assuré, Ben enroula le tensiomètre autour de son bras et commença à le faire gonfler.

— Comment va Ruth ? demanda-t-il.

— Je ne suis pas encore passée à la maison.

Il leva brusquement le regard. Elle sourit en constatant le prix qu'il accordait au fait qu'elle soit venue chez lui directement.

— Tu as l'air en forme, dit-il.

Elle leva un sourcil.

— C'est l'avis du médecin ?

Il eut un sourire amusé.

— Là, à cet instant précis, j'ai du mal à faire la différence entre l'homme et le médecin.

— L'un n'exclut pas l'autre, murmura-t-elle.

Elle ne fut pas sûre qu'il avait entendu, car il avait placé les extrémités du stéthoscope dans les oreilles, et concentrait toute son attention sur les battements de son cœur.

— La pression sanguine est normale.

Il lui posa les doigts sur le cou, et palpa doucement les glandes jugulaires.

Leurs yeux se rencontrèrent. Une vague de désir les submergea, et Geena entrouvrit les lèvres, en quête d'un baiser. Troublé, il la lâcha et tendit la main vers son stéthoscope. Elle se pencha en avant, pour lui permettre de le glisser entre le tissu de sa robe et la peau. Elle sentait le souffle de sa respiration et le contact de sa main chaude, contrastant avec le métal froid de l'appareil.

— Ton rythme cardiaque est un peu rapide, dit-il en plissant les lèvres. C'est le syndrome de la blouse blanche ?

— C'est le syndrome de Ben Matthews.

— Monte sur la balance.

Elle se débarrassa de ses chaussures et s'exécuta, en lui jetant un regard coquin par-dessus son épaule.

— Je ne ferais cela pour aucun autre homme que toi.

— Tu as pris...

Il se pencha en arrière pour consulter sa fiche médicale.

— Tu as pris dix kilos.

Il leva les sourcils.

— Est-ce que tes règles sont revenues ?

— Non.

— Je ne comprends pas pourquoi, dit-il en plissant le front. Il se peut que tu n'aies pas encore atteint un taux de lipides normal.

Elle s'efforça, à grand-peine, de se retenir d'afficher un sourire béat.

— C'est peut-être ça.

— Depuis combien de temps n'as-tu pas subi un examen gynécologique complet ?

— Depuis la semaine dernière à New York.

— Est-ce que le médecin t'a dit ce qu'il pensait de ce problème d'aménorrhée ?

— Elle a une explication. Comment va Ursula ?

Il cilla devant ce brusque changement de sujet.

— Elle va bien. Je ne sais pas comment elle va s'adapter lorsque j'irai vivre à Austin, mais...

L'humeur joyeuse de Geena tomba brutalement.

— Austin ? Je croyais que tu avais l'intention de demander au Dr Cameron s'il voulait un associé.

Elle se sentit incapable de se détourner sous l'intensité de son regard.

— Depuis la mort d'Eddie, mes parents sont très seuls. Je voudrais passer quelque temps auprès d'eux.

Elle hocha la tête tristement.

— Je comprends. Après ce que j'avais vécu à Milan, mon seul désir était de rentrer chez moi et de retrouver les gens qui m'aimaient. Et Tod ?

— Je resterai en contact étroit avec lui.

Il attendit un instant avant de lui demander :

— Et toi ? Tu as des projets ?

Elle haussa les épaules. Elle se mordit la lèvre pour ne pas pleurer. Il lui avait dit qu'il l'aimait, et elle ne comprenait plus. Que lui arrivait-il ?

— Rien de précis, pour l'instant. Je crois que je vais rester un peu ici, m'occuper de ceux qui ont besoin de mon aide. J'ai la chance de ne pas être obligée de travailler pour vivre.

Elle le dévisagea, espérant qu'il allait dire quelque chose. Elle n'avait donc pas été assez claire ? Ils paraissaient tous deux comme incapables de réagir, en proie à des émotions qu'ils ne parvenaient pas à exprimer.

Avec l'impression de vivre un cauchemar, elle prit son manteau d'un geste lent. Il l'aida à l'enfiler et, en soupirant, elle lui tourna le dos et commença à s'éloigner.

Il se racla la gorge.

— Geena ?

Elle marqua un temps d'arrêt, et sentit qu'il s'approchait d'elle. Lorsqu'il lui mit la main sur l'épaule, une bouffée d'espoir l'envahit.

— Oui, Ben ?

Il l'obligea à se tourner vers lui, et l'amour qu'elle lut dans son regard lui assura que tout n'était pas perdu. Elle comprit que, bien au contraire, ils venaient de retrouver l'essentiel.

— Veux-tu m'épouser ?

— Je commençais à croire que tu ne me le demanderais jamais.

Lorsque ses bras se refermèrent sur elle, elle se laissa aller contre lui, avec un soupir de soulagement venu du fond du cœur. Ils étaient enfin réunis et, cette fois, plus rien ne les séparerait.

— Ben ? murmura-t-elle en s'écartant de lui, après quelques secondes. J'ai quelque chose à te dire.

Il ne la laissa pas parler, et emprisonna ses lèvres. Un instant plus tard, elle fit une nouvelle tentative.

— Tu te souviens que je t'ai dit que la gynécologue avait une explication ?

— Hein ?

Le ton de sa voix trahit l'inquiétude du médecin.

— C'était quoi ?

— Pour quelle raison est-ce qu'une femme cesse d'avoir ses règles, la plupart du temps ?

Il secoua la tête, puis haussa les épaules.

— Si elle est enceinte, mais...

Elle eut un grand sourire. Soudain, il comprit.

— Tu es... tu veux dire que... tu attends un enfant ? bredouilla-t-il.

Elle lui posa un doigt sur la poitrine.

— *Nous* attendons un enfant, annonça-t-elle devant son visage stupéfait. Tu es d'accord ?

Il la prit dans ses bras en poussant un cri de joie, et la fit virevolter.

— Je suis plus que d'accord ! Je suis fou de joie... Oh, mon Dieu, c'est génial, ce qui nous arrive !

Il la reposa à terre et la considéra en souriant.

— Tu en es certaine ?

Elle acquiesça, le visage rayonnant.

— Quand j'étais à Paris, j'avais l'impression que mon corps avait quelque chose de changé. Alors j'ai acheté un test de grossesse, et le bâtonnet a bel et bien viré au bleu. Ma gynécologue de New York me l'a confirmé.

Elle s'interrompit, et lui jeta un petit regard narquois.

— Je peux le dire, à présent ?

— D'accord, répondit-il en roulant les yeux. Tu peux le dire. *Ta mère avait raison.*

Il prit de nouveau ses lèvres, et ils s'unirent en un baiser interminable. Enfin, il s'écarta d'elle, la regardant droit dans les yeux.

— Mais je veux qu'on s'entende bien là-dessus : ceci n'a rien à voir avec une quelconque immaculée conception. Car, moi, j'étais là.

Elle éclata de rire.

— Tu croyais donc que je l'avais oublié ? Allez, viens, on va annoncer la nouvelle à Gran.

— D'accord. Je crois que je n'ai plus rien à faire ici. Il est 6 heures passées.

Son regard se voila brièvement.

C'était vendredi soir. Il pensait à Eddie. Geena lui donna un baiser rapide.

— Ensuite, nous irons à la Steakerie, et je peux te dire que tu n'auras pas besoin de me pousser à manger. Je meurs de faim.

Il enfila son manteau et la prit par le bras, lui susurrant toutes les choses qu'il avait envie de lui faire dès qu'ils se retrouveraient seuls.

La sonnerie du téléphone retentit à ce moment.

Il lança un regard vers l'appareil. Une bouffée d'espoir l'envahit, mais il la réprima aussitôt.

— Laisse le répondeur prendre le message. Je suis trop heureux, ce soir, pour risquer de tout gâcher par une déception.

— D'accord, dit-elle à regret.

En temps ordinaire, ne pas répondre au téléphone ne lui posait aucun problème, mais une intuition bizarre lui disait que cet appel demandait une réponse. Huit sonneries, neuf...

Ils étaient prêts à passer la porte lorsque Geena s'échappa, et courut répondre au téléphone.

— Allô ?

Elle attendit la réponse.

— Oh, mon Dieu ! s'écria-t-elle.

Ben se figea devant la porte, les yeux fixés sur elle. D'une voix très tendue, il dit :

— Qui est-ce ? C'est Tod ?

Elle lui fit signe d'approcher. Du pied, elle tira une chaise, puis, la main posée sur le récepteur, elle lui ordonna de s'asseoir.

— Mais qui est-ce ?

— Je t'ai dit de t'asseoir.

Les yeux rivés aux siens, il se laissa tomber sur la chaise. Elle lui tendit le combiné, et, d'une voix qui hésitait entre le rire et les larmes, elle lui dit :

— C'est Eddie. Il dit qu'on a annoncé sa mort de façon prématurée.

Épilogue

Merri, toute heureuse d'être libérée de sa laisse, allait et venait comme une petite folle le long de la berge, s'ébrouant dans les couches de feuilles mortes qui couvraient le sol au pied des arbres. Par moments, elle s'arrêtait brusquement, attendait qu'Ursula la rattrape, avant de repartir comme une flèche.

Tod courait derrière les deux chiens, jetant des bâtons pour s'amuser, ses cheveux blonds ondulant sous la brise de l'été. Il se trouvait en période de rémission depuis les deux derniers mois, et le pronostic des médecins était très optimiste.

Geena rajusta le poids de son fardeau, et se retourna pour vérifier que Ben et son frère les suivaient. Eddie était venu passer une semaine de congé avant de repartir au Guatemala. Depuis qu'il était arrivé, la veille au soir, Ben et lui n'avaient cessé de parler, d'évoquer la catastrophe du Guatemala et les circonstances de la disparition d'Eddie dans la montagne.

— Pourquoi n'as-tu pas fait savoir que tu étais encore vivant ? dit Ben. Nous étions tous malades d'angoisse !

Eddie fronça les sourcils.

— Tu te souviens de cette jeune femme enceinte que je devais aller voir dans les montagnes ? Nous venions de quitter le village, et nous étions en train de descendre vers la vallée lorsque le tremblement de terre s'est produit. Nous avons dû nous éloigner de la piste, à cause des coulées de boue, et nous nous sommes retrouvés à parcourir des kilomètres pour rejoindre l'autre côté de la montagne. Nous avons pu nous mettre à l'abri dans une cabane, où nous sommes restés coincés, coupés de tout, à cause des glissements de terrain. Ensuite, j'ai perdu mon sac à dos en traversant une rivière en crue.

Ben secoua la tête.

— Lorsque j'ai vu ton sac à dos, j'ai vraiment cru que tu étais mort, parce que je savais que tu ne t'en séparais jamais.

— Il s'était accroché à la branche d'un arbre immergé, et il m'aurait entraîné par le fond. Je l'ai abandonné sans une seconde d'hésitation.

— Pourquoi n'es-tu pas retourné le chercher, lorsque l'eau s'est retirée ?

— A ce moment-là, la jeune femme n'était pas du tout en état de refaire le chemin. Je ne pouvais pas la laisser seule, alors qu'elle avait besoin de soins. Mais je vais te dire une chose. Mettre ce bébé au monde, sans problème, au milieu de la destruction et de la mort, a été pour moi un moment de bonheur que je ne pourrai jamais oublier.

Ben lui donna une tape dans le dos.

— La vie continue, d'une manière ou d'une autre. Elle est toujours la plus forte, et nous devons nous en réjouir chaque jour qui passe.

— Tout à fait ! Et toi, tu as de bonnes raisons de te réjouir.

Geena, qui les écoutait, se douta qu'Eddie faisait allusion à elle et à son bébé, ce que Ben lui confirma.

— Tu verras, le jour où la femme que tu aimes donnera naissance à ton enfant, petit frère, c'est ce qu'il y a de plus beau au monde.

Geena contempla le petit visage paisible de sa fille, douillettement endormie dans sa poussette.

— Nous avons beaucoup de chance, toutes les deux, Sonia, lui murmura-t-elle. Tu as le meilleur papa du monde, et moi, je vis avec l'homme que j'aimerai toujours.

Elle leva les yeux vers l'immensité bleue du ciel d'été. « Je t'aime maman, et toi aussi, papa. »

Son amour allait aussi à son grand-père, à Gran, à Erin et Kelly, à toutes ses nièces, ses neveux, les maris de ses sœurs, à tous ses amis, jeunes ou vieux. Elle débordait d'amour et de reconnaissance pour tout ce que la vie lui avait donné.

Derrière elle, elle entendit Ben qui s'adressait à son frère sur un ton plus malicieux.

— Tu as loupé un service funéraire du tonnerre. Je ne sais pas si j'arriverai à refaire un discours aussi éloquent pour ton décès.

Eddie lui donna un coup de coude.

— Tu peux remballer tes discours, mon pote. Je n'ai pas l'intention de quitter ce monde de sitôt.

Ils commencèrent à lutter comme deux gamins, puis Eddie s'échappa et courut un instant à côté de Tod, avant de se mettre à poursuivre les chiens.

Ben rattrapa Geena, et l'entoura de son bras.

— Comment vont mes deux femmes ?

— Elles vont très bien. C'est une joie de connaître Eddie. Il est exactement tel que je l'imaginais. Est-ce que tes parents vont venir bientôt ? Nous ne les avons pas vus depuis notre mariage.

— Ils arrivent vendredi, ils seront là pour le baptême.

— Tu regrettes que nous ne soyons pas allés vivre à Austin, finalement ?

— Non, ça va. Du moment qu'Eddie est sain et sauf, il n'est plus absolument nécessaire de déménager. Mais à l'avenir, je ne laisserai pas s'écouler plus de deux mois entre les visites à mes parents. Nous avons eu de la chance que Brent Cameron ait eu besoin d'un deuxième médecin.

— Eh bien, moi, je suis heureuse que nous soyons restés ici. Nous avons pu assister à la guérison de Tod.

— Et grâce à toi, à Greta et aux aides-soignantes, le défilé de mode a rapporté suffisamment d'argent pour entreprendre la construction de la maternité.

— Je croyais qu'elle serait terminée à temps pour la naissance de Sonia, mais j'espère qu'il y aura d'autres bébés.

— Bien sûr qu'il y en aura.

Ben s'arrêta, et lui souleva le menton pour déposer un baiser sur ses lèvres.

— Tu sais quoi ? Carrie continue de penser que tu es un ange.

— Et toi, que penses-tu ? dit-elle malicieusement. Mais peut-être ne devrais-je pas poser la question ?

— Tu es bien trop humaine pour un ange.

Il se pencha et lui donna un baiser plus appuyé, qui la fit fondre de plaisir. Une lueur espiègle pétilla dans son regard quand il lui murmura :

— Et j'en remercie le ciel.

Chère lectrice,

Vous nous êtes fidèle depuis longtemps?
Vous venez de faire notre connaissance?

C'est pour votre plaisir que nous avons
imaginé un rendez-vous chaque mois
avec vos auteurs préférés, vos
AUTEURS VEDETTE dans les
collections Azur et Horizon.

Les AUTEURS VEDETTE vous
donneront rendez-vous pour de
nouveaux livres vedette.

Pour les reconnaître, cherchez
l'étoile... Elle vous guidera!

Éditions Harlequin

HARLEQUIN

LE FORUM DES LECTEURS ET LECTRICES

CHERS(ES) LECTEURS ET LECTRICES,

VOUS NOUS ETES FIDÈLES DEPUIS LONGTEMPS?

VOUS VENEZ DE FAIRE NOTRE CONNAISSANCE?

SI VOUS AVEZ DES COMMENTAIRES, DES CRITIQUES À
FORMULER, DES SUGGESTIONS À OFFRIR, N'HÉSITEZ
PAS... ÉCRIVEZ-NOUS À:
LES ENTERPRISES HARLEQUIN LTÉE.
498 RUE ODILE
FABREVILLE, LAVAL, QUÉBEC.
H7R 5X1

C'EST AVEC VOS PRÉCIEUX COMMENTAIRES QUE NOUS
ALLONS POUVOIR MIEUX VOUS SERVIR.

DE PLUS, SI VOUS DÉSIREZ RECEVOIR UNE OU
PLUSIEURS DE VOS SÉRIES HARLEQUIN PRÉFÉRÉE(S)
À VOTRE DOMICILE, NE TARDEZ PAS À CONTACTER LE
SERVICE D'ABONNEMENT; EN APPELANT AU
(514) 875-4444 (RÉGION DE MONTRÉAL) OU 1-800-667-4444
(EXTÉRIEUR DE MONTRÉAL) OU TÉLÉCOPIEUR
(514) 523-4444 OU COURRIER ELECTRONIQUE:
AQCOURRIER@ABONNEMENT.QC.CA OU EN ÉCRIVANT À:
ABONNEMENT QUÉBEC
525 RUE LOUIS-PASTEUR
BOUCHERVILLE, QUÉBEC
J4B 8E7

MERCI, À L'AVANCE, DE VOTRE COOPÉRATION.

BONNE LECTURE.

HARLEQUIN.

VOTRE PASSEPORT POUR LE MONDE DE L'AMOUR.

COLLECTION HORIZON

Des histoires d'amour romantiques qui vous mènent au bout du monde!

Découvrez la passion et les vives émotions qu'apportent à la Collection Horizon des auteurs de renommée internationale!

Captivantes, voire irrésistibles, ces histoires d'amour vous iront assurément droit au coeur.

Surveillez nos trois nouveaux titres chaque mois!

GEN-H-R

ROUGE PASSION

**De fiévreuses histoires
d'amour sensuelles!**

**De provocantes histoires
d'amour passionnées et
romantiques qu'on lit d'une
seule traite. Aventureuses,
parfois humoristiques, et
sensuelles, elles mettent en
vedette des hommes et des
femmes d'aujourd'hui.**

**ROUGE PASSION...
trois nouveaux titres
chaque mois.**

♉ ♊ ♋ ♌ ♍

69 L'ASTROLOGIE EN DIRECT ♒
TOUT AU LONG
DE L'ANNÉE.

(France métropolitaine uniquement)
Par téléphone 08.92.68.41.01
0,34 € la minute (Serveur SCESI).

Composé et édité par les
éditions Harlequin
Achevé d'imprimer en avril 2005

BUSSIÈRE
GROUPE CPI

à Saint-Amand-Montrond (Cher)
Dépôt légal : mai 2005
N° d'imprimeur : 50651 — N° d'éditeur : 11244

Imprimé en France